# 武器になる！世界の時事問題

背景がわかればニュースがわかる

池上彰

大和書房

# はじめに

一九三九年、平沼騏一郎《ひらぬまきいちろう》首相は「欧州の天地は複雑怪奇」なる迷言（？）を残して総辞職しました。平沼内閣はソ連の脅威に対抗するため、ヒトラーのドイツと関係を強化しようとしていたのに、そのドイツがソ連と不可侵条約を結んでしまったからです。

当時の日本が、欧州情勢ひいては国際情勢に疎《うと》かったことを象徴する出来事でした。

その後、ドイツは不可侵条約を破ってソ連に侵攻。一方、日本はアメリカを中心とする連合国と戦争に突入しますが、形勢が不利になると、ソ連を仲介役としてアメリカと和平交渉をしようと考えます。しかし、そのソ連はアメリカと密約を結んで日本への攻撃を準備していました。

まさに国際情勢は複雑怪奇。それは現代でも続いています。イギリスが国民投票でEU離脱を決めたと思ったら、アメリカでドナルド・トランプ大統領が当選します。北朝鮮との戦争が終わっていない韓国の大統領が、同盟国のはずの日本より北朝鮮と接近しようとします。

このように一見複雑怪奇な国際情勢も、各国の歴史や内在的論理を辿《たど》っていくと、なぜそのような事態が起きたかが見えてきます。

あるいは、その国を取り巻く世界地図を見ることで、その国の思惑や危機感もわかります。この本は、そうしたさまざまな要素を知ることで、読者が国際情勢をよりよく理解できるお手伝いをしようと企画されました。そもそもは関西学院大学の中にできた「国連・外交プログラム」の基礎科目の集中講義を二〇一九年夏に担当したことから、その講義録がもとになっています。

講義は、将来、国連など国際機関で働きたいと考えている意欲溢れる学生諸君が対象ですから、鋭い質問や答えるのが難しい質問も飛んできます。まさに「いい質問」です。

日本にとって、アメリカは重要な同盟国ですが、その同盟を軽視しているとしか思えないトランプ大統領。日米関係はどうなるのか。

一方で「自国ファースト」を推し進めたイギリスによって混乱が拡大する欧州。ＥＵはなぜ生まれ、これからどうなるのか。

経済が発展する中国ですが、二〇二〇年初頭の新型コロナウイルスによる肺炎は、情報統制が行われた結果、対策が遅れ、感染者が拡大しました。共産党の事実上の一党独裁の欠陥が、改めて明らかになりました。

その中国では、過去に何が起きたのか。信じられない歴史があったにもかかわらず、共産党にとって都合の悪い情報は隠蔽されてきました。情報が隠蔽されると、過去の失敗から学ぶことができないことがよくわかります。

そして中東問題。アメリカのトランプ大統領が、エルサレムをイスラエルの首都と認めたことで、パレスチナの反発は高まっています。中東は、欧米諸国の勝手な思惑や振る舞いによって翻弄されてきました。

こうした〝複雑怪奇〟な世界の中で、日本はどうすべきなのか。それを考える基礎としてお役に立てれば幸いです。

二〇二〇年三月

ジャーナリスト　関西学院大学客員教授
池上　彰

関西学院大学、西宮上ケ原キャンパスにて

# 武器になる！　世界の時事問題／目次

## 第四章 沖縄問題とは何か 113



## 第五章 中東問題とは、「ユダヤ」「イスラム」とは何か 139

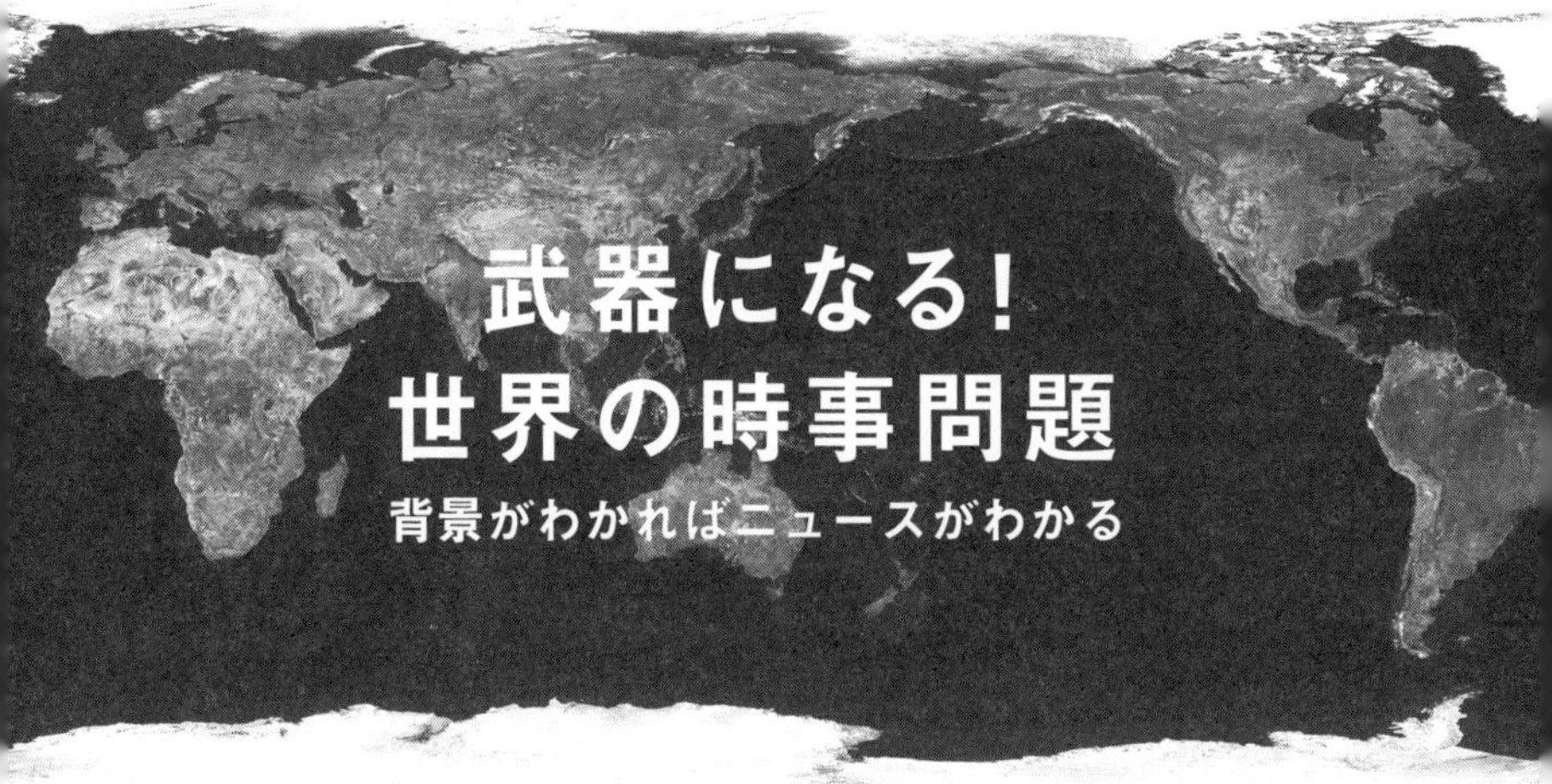

# 武器になる！
# 世界の時事問題
## 背景がわかればニュースがわかる

第一章

# アメリカという「不思議」の国

## 世界が驚いた、トランプ大統領の誕生

「世界中でどの国について一番知っていますか？」。そう聞かれたとき、我われ日本人の多くは、アメリカと答えるでしょう。でも、アメリカのどういうところを知っているのでしょうか。

アメリカは連邦国家であり、広大な大陸や島からなる五十の州によって成り立っています。州により、法律も違えば人種の分布も違っています。東部のニューヨーク、ワシントンD.C.、中西部のシカゴ、南部のニューオリンズ、西海岸のロサンゼルス、サンフランシスコなど、大都市だけを比べてみても街の空気や生活の実情が違います。そんな、ひとことでは言い表しにくいアメリカの基礎を見ていくことにしましょう。

アメリカという連邦国家のトップは大統領。その大統領は国民が投票する大統領選挙で選ばれます。しかし、各州で有権者が選ぶのは大統領ではなく、大統領選挙人です。大統領選挙人とは、それぞれの州を代表して大統領を選ぶ人のことで、一票でも多く獲得した候補者が、その州に割り当てられた選挙人の数を総取りすることになっていて（ネブラス

2016年8月、アメリカ大統領選挙で遊説するドナルド・トランプ候補

カ州とメイン州は別方式)、その選挙人の総数によって大統領が決まります。

二〇一六年の大統領選挙では、共和党のドナルド・トランプが三〇六人、民主党のヒラリー・クリントンが二三二人の大統領選挙人を獲得し、トランプが大統領になりました。ところが全米の有権者が投票した総得票数では、クリントンがトランプを約二九〇万票も上回っていました。不自然で奇妙な構造にも見えますが、これも連邦制をとるアメリカの民主主義の一つの形なのです。

実は、トランプは選挙中に「選挙人の数で決めるような仕組みはおかしい。総得票数で決めればいいんだ」と言っていました。選挙の結果、選挙人の数で当選した途端、「素晴らしい選挙制度だ」と言い始めました。

当時私は全米各地をまわり、この選挙を取材していました。当初は誰もがクリントンの当選を疑わず、選挙中にもかかわらず日本の安倍晋三首相がクリントンのもとに挨拶に行ったほどでした。あなたが大統領になるでしょうから、どうぞ日本をよろしく、とかけつけたわけです。

しかし、取材を続けるうち、しだいに風向きが変わっていくことに気がつきました。トランプの政治集会に行ってみると、まず圧倒的に白人男性が多いこと。そして次の驚きは、トランプの話が演説になっていないこと。不法移民を追い出すぞ！　メキシコとの国境に壁をつくるぞ！　中国からの安い商品の流入を阻止するぞ！　といったスローガンの繰り返しがほとんどで、そのたびに支持者たちは「オー」と応えるのです。具体的なビジョンや政策はまるで示されず、トランプは三十分ほどでステージを降りていきました。

「暴言王」とも呼ばれ、差別的発言をくりかえしたトランプですが、これはポリティカル・コレクトネス（社会的な偏見や差別などを含んだ言葉の使用を避け、公平な表現をするというもの）の風潮に逆らったものと言えます。しかしトランプの暴言は、人の心のどこかでは「本音」でもあり、移民の流入や市場での価格競争に敗《やぶ》れ、職を失ったり将来が見通せなかったりする白人労働者にとっては、「よくぞ言ってくれた」と感じさせたのです。

そして、トランプ当選に追い風を送ったのが、メディアだと言えるでしょう。トランプは既存のメディアを嫌っていて、自分に都合の悪いことを言われたり書かれたりすると、すぐさま「フェイクだ！」と切り捨てます。そのやりとりが報道されることで、はからずもトランプの名前を押し上げることになったのです。当初は品がなくただ自分勝手に見えた金持ちが、露出を重ねるごとに、思ったことを言い、さらには自分たちの本音もすくい上げてくれる人物にさえ見えるようになったということです。

さらには「オルタナ右翼」とＳＮＳの存在もトランプの支持率を押し上げました。オルタナ右翼というのは、従来とは違うやり方で社会に異議申し立てをする右翼的な考えを持った人たちで、彼らの活動はインターネット上で大きな広がりをみせています。

多くのアメリカ人はネット上でニュースを見ています。読みたいニュースは人それぞれに傾向があり、その傾向を先読みしてヘッドラインが流れてくるようになります。つまり、その人が読みたいようなニュースが優先的に画面に現れるのです。ＳＮＳではこれが顕著で、右翼的な思想に触れたいと思えば、次から次へとこういう傾向のものが流れてきます。白人至上主義や排外主義といった意見が正しく、同じ意見を持つ人が多くいるのだと思い込むようになっていきます。こうした人たちが増え、彼を支持したのです。

もちろん、トランプ大統領が誕生したのには、まだまだ多くの要因がありますが、いままでに例を見なかった現象が、不動産業界のビジネスマンを大統領にしたことも事実なのです。

## 大統領と首相の違いは？

大統領がいる国もあれば、首相がいる国もあるし、両方がいる国もあります。そもそも大統領と首相はどう違うのでしょう。

基本的には大統領は国のトップであり、首相は行政のトップである、ということです。大統領は国のトップ、つまり国を代表する国家元首です。それに対して首相というのは、さまざまな行政部署の代表である大臣のトップ。内閣を率いる行政の代表なんですね。ただ、その役割は国によって少しずつ違っています。

ロシアや韓国には大統領がいますが首相もいます。この場合、国家元首である大統領が圧倒的な政治権力を持ち、行政は首相が担当しています。一方でドイツに大統領がいることは、あまり知られていません。というのもドイツでは政治的な実権は首相が握っているからで、サミットなどに参加するのも首相です。大統領は国家元首として外交儀式を行ったり、首相や外交官を形式的に任命しています。インドやイスラエルも同様ですね。

イギリスやデンマーク、オランダには大統領はいませんが、これらの国には国王や女王という国家元首が存在しているからで、国王は国民統合の象徴であり、政治や行政の実権は首相にあるということになります。

では、政治の権力を持ち、政治において国を代表するのは大統領なのか首相なのかというと、それは選ばれ方によって違ってきます。つまり、国民の意思にもとづいて選ばれた大統領なり首相なりが絶大な権力を握ることになるのです。

フランスの場合、外交面は大統領がおもに担当し、内政面は首相が担当することになっていて、ともに政治的な権力があります。大統領は国民の直接選挙で選ばれますが、首相は議会での第一党の議員の中から任命されます。すると、国民に選ばれた大統領が、意見の違う他の政党の人間を首相に任命しなければならない、ということも起こってきます。

ではアメリカはどうかというと、アメリカには大統領選挙があり、大統領は国民の意思を反映した投票で選ばれます。さらにアメリカ大統領には、行政の権限も与えられています。大統領が首相も兼ねているということなのです。

## 大統領の自由にはならないこと

アメリカ大統領は国家元首であるとともに行政の長を務《つと》めています。軍の最高司令官も大統領が務めます。大統領が交代すれば、国務長官や国防長官など、ほとんどの大臣があらたに大統領から指名を受けて交代します。さらには五〇〇〇人にも及ぶ省庁の幹部も。これも大統領の権限の一つです。

しかし、あまりに多くの権限が大統領に集中してしまうと、政治や外交が大統領の思いのままになってしまう危険性があります。それに歯止めをかけ、大統領を牽制しているのが連邦議会です。

例えば予算について。日本では内閣が予算案をつくるという形をとり――実際には各省庁が作成していますが――、内閣が予算案を国会に提出しています。ここが、アメリカでは大きく違っています。

大統領はまず、「予算教書」という、予算の基本的な方針案を作成し、これを議会に提出します。このときの議会での演説が「予算教書演説」といわれるものです。つまり大統領は議会に対し「大統領としてこういうことをしたい。ついては、そのことを考慮して予算編成をしてほしい。予算を付けてほしい」と、お願いをするわけです。それを受けて予算案を作成するのが議会内にある予算局で、最終的に議会の審査を経て可決することになります。

法案についても同様で、特別な場合を除いて大統領に法案を提出する権限はありません。法案が出せるのは、連邦議会議員に限られています。では大統領が新たな法律が必要だと思ったときにどうするか。それが「一般教書」です。日本では首相が施政方針演説というものを行い、政府がどのような政策をとっていくのかを話しますが、一般教書はこれに似ています。ただ違うのは、日本は説明ですが、アメリカは、「国民のためにこうしたい。そのためにはこういう法律が必要だ。だから議会も協力してほしい」というお願いも含まれます。政府の政策案を実現させるために、議会に法律をつくるように促しているのです。

2019年2月、一般教書演説をするトランプ大統領

## コラム 大統領に野次はとばさない

日本の国会においては、演説をしているのが首相であろうと党首であろうと反対政党から野次がとんできます。これはイギリスも同じ。ところがアメリカでは、演説中の大統領に対して野次をとばすなどということはまずありません。トランプ大統領は共和党ですから、民主党の議員にしてみれば不愉快な発言だってあるのですが、それでも黙って聞き、演説が終われば全員が拍手を送り、ときにはスタンディングオベーションさえ起こります。これは、大統領が国家元首だからです。国家元首に対しては、どこの国においてもリスペクトし敬意をはらうのです。

## 十三の植民地が集まり、それぞれが「国」になった

国家元首であり行政の長である大統領に権力を集中させないようにした。つまり三権分立を徹底させた大きな理由は、アメリカという国の成り立ちにあります。

アメリカの正式名称は、United States of America。このステートというのは、日本語では「州」と訳されていますが、「国」だと理解しておく方がいいでしょう。つまりアメリカは、五十の国が集まった連邦国家だということですね。

コロンブスの北米大陸到達後、ヨーロッパの国々があらたな植民地を求めて北米を目指しました。イギリスからは、宗教改革に敗れ、英国国教会から弾圧された多くのピューリタンたちが祖国を捨て、新天地アメリカに移り住むようになります。そして、アメリカの東部に十三の植民地ができた段階で、自治権の獲得や重税からの解放を求めて一七七五年にイギリスとの間で独立戦争を起こします。フランスやスペインの支援を受けてこれに勝利し、一七七六年に独立宣言を発表します。この時点ではまだ十三の植民地が集まっただけでしたが、やがて一つにまとまった政府をつくろうということになり、一七八七年にアメリカ合衆国（United States of America）が誕生します。

このときに十三のそれぞれのステートが、独立した国家としての形を成すわけですね。国家ですからそれぞれに議会があり、憲法があり、そして裁判所、さらには軍隊があるということです。

この十三のステートは北米の東海岸に集中していましたが、やがて中部から西部へとしだいに領土を広げてきます。例えばルイジアナは、フランス人が入植して植民地にしたと

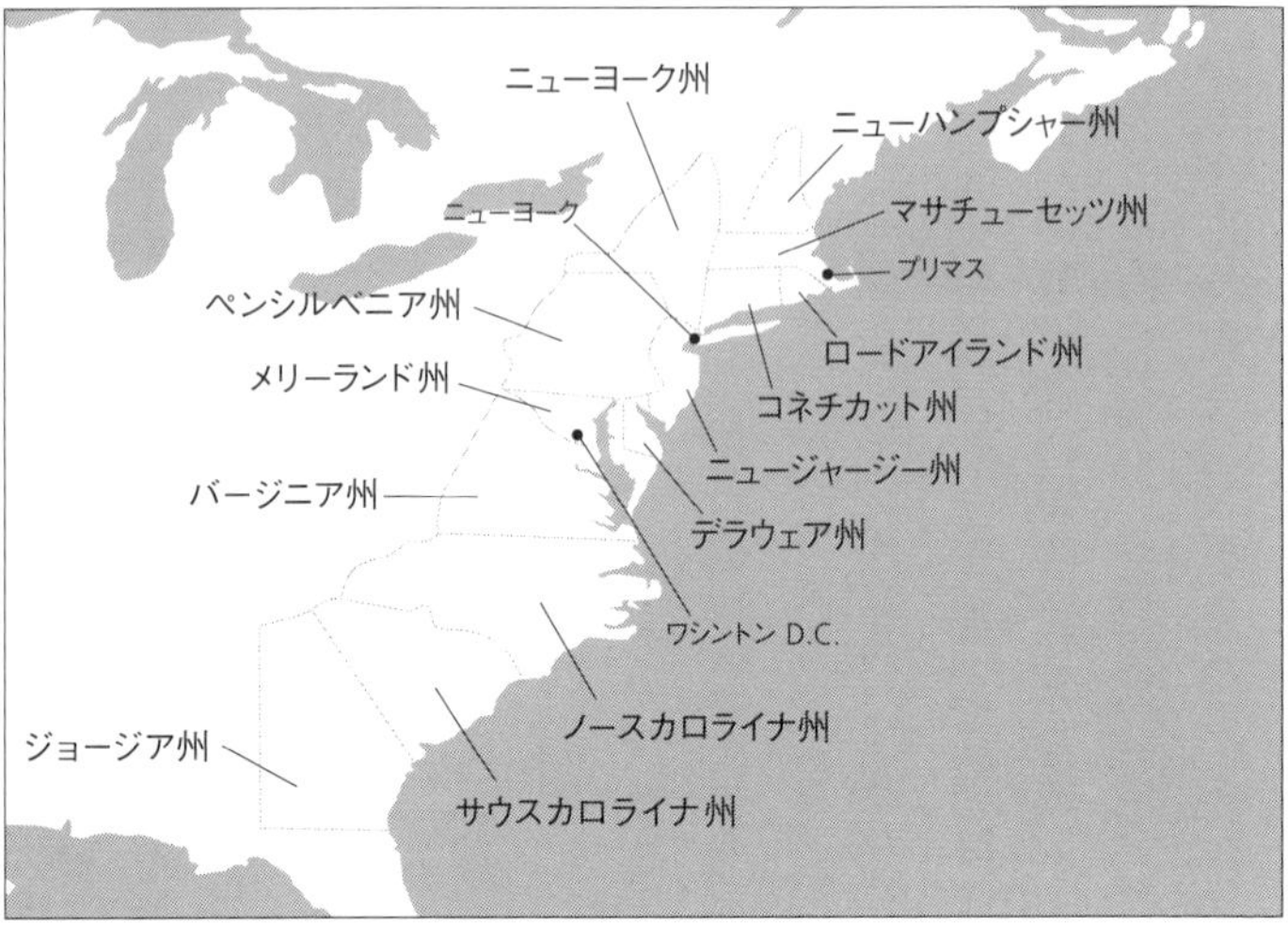


アメリカ独立当時の13州

ころでフランス領でした。ところが、ナポレオンの時代にヨーロッパでの戦費をまかなうために一八〇三年、アメリカに売り渡されます。フランスにオルレアンという地方がありますが、フランス人がアメリカにつくった街がニューオルレアン。それがアメリカに併合され、英語読みになってニューオリンズとなったのでした。

テキサスはメキシコの領土でしたが、そこへアメリカ人が大挙して移り住み、一八三六年に独立戦争を起こします。アメリカの支援を得て勝利し、テキサス共和国を建国します。その後一八四五年にアメリカ合衆国に加わり、テキサス州になったのです。

ハワイにも大勢のアメリカ人が移住し、反乱を起こして王にアメリカへの併合を認めさせました。ニューメキシコもカリフォルニアもメキシコの土地でしたが、戦争によってアメリカが得たものです。アラスカはロシア領でしたが、クリミア戦争の費用の調達のため、一八六七年にロシアからアメリカに売られた土地です。フロリダもスペインから一八一九年に買収しています。

このようにして東海岸から西海岸に到達した結果、現在の五十のステートが連邦国家を成すようになったのです。

連邦国家ですから、それぞれのステートから代表を出して連邦議会を構成することになります。そしてその国家元首が大統領ということなのですが、各ステートが独立しているのに連邦国家というものが強い力を持つようになると、その独立性が奪われかねない状況も生まれます。そこで、徹底した三権分立を確立させたのです。大統領が国家元首であり行政の長であるにもかかわらず、ステートの代表である議会が大きな権限を持つことになったのです。

## コラム　首都がワシントンD.C.になったわけ

アメリカ合衆国ができたときの首都はニューヨークでした。やがてフィラデルフィアに移されますが、十三州の中央に首都があるのが望ましいということになり、一八〇一年に現在の場所に新首都ができました。メリーランド州とバージニア州が土地を提供し、この地区をコロンビア特別区（District of Columbia）というどこの州にも属さない地区にしました。その中心に初代大統領ワシントンにちなんで、ワシントン市ができ、ワシントンD.C.になったのです。この場所はポトマック川のほとりの湿地帯で、夏は暑く湿気も多く、人が住むのに適したところとは言えませんでした。霧が立ち込めることもしばしばで、フォギーボトム（霧の底）とも呼ばれるほど。連邦政府というものを信用していなかった人たちが、ここを選んだとも言い伝えられています。

## それぞれの州には軍がある

イギリス人がアメリカに渡ってきたとき、そこには当然先住民がいました。彼らを追いやり、土地を奪っていくには武器が必要でした。先住民の反撃にあっても自分たちのことは自分たちで守るしかない。ですから、みんな銃で武装していたわけです。そして独立戦争になったとき、それぞれの植民地で軍隊が編成され、イギリスと戦って勝利したのです。

そしてアメリカ合衆国という連邦国家ができあがりましたが、それでも各州は軍を持ち続けました。万が一の連邦政府の圧力や攻撃に備えるためでした。それが、州兵と呼ばれるものです。だからどの州にも州兵という軍隊が存在するのです。州兵の大半は陸軍のみですが、テキサス州には空軍まであります。実際には連邦政府が州を攻撃することはありませんが。

二〇一一年九月十一日のアメリカ同時多発テロ事件に端を発したアフガニスタン攻撃では、大統領令によって州兵が連邦政府軍に編入され、アフガニスタンに派遣されています。現在のアメリカには徴兵制はなく、あくまでも希望による軍への入隊ですから、ときに兵士の数が不足したりします。そんな事態に州兵が使われることもあるのです。

一九六〇年代、ベトナム戦争のただ中のアメリカでは、徴兵制がとられていました。十八歳になれば誰もが軍隊に入ることになります。拒否すれば犯罪になります。戦況は泥沼化し、アメリカ軍にも多くの死者がでます。ところが当時は、州兵になっていれば連邦政府軍に徴兵されることはありませんでした。政府軍に入ってベトナムに行かされるくらいなら、希望して州兵になった方がはるかにいい、とは多くの人が考えること。州兵採用の競争率は高くなります。

当時、徴兵年齢に達していたジョージ・W・ブッシュ（第四十三代アメリカ合衆国大統領）は、成績が悪かったにもかかわらず、テキサス空軍州兵として採用され、ベトナムに行くことはありませんでした。素行も良くなく成績の悪い人物が、なぜテキサス州の州兵になれたのか。父親が有力な下院議員（後の第四十一代アメリカ合衆国大統領ジョージ・H・W・ブッシュ）だったからではないかという疑惑があるわけですね。

ついでに言いますと、ドナルド・トランプもベトナム戦争時代に徴兵年齢を迎えています。このときには徴兵猶予という仕組みがあり、大学生は徴兵が先延ばしにできました。彼はペンシルベニア大学ウォートン・スクールに入学し、取りあえず徴兵猶予を受けます。やがて徴兵猶予の期間が切れると、かかとに病気があって兵役は務まらないという医者の証明書が提出され、これに基づいてトランプは徴兵を免《まぬか》れました。ベトナム戦争に行かずに済んだのですね。

大統領となった彼は記者たちに向かって「俺は本当に健康体だ。どこも悪いところはない」と胸を張ります。「学生時代、かかとの病気で軍隊に入れなかったのではありませんか？」「その悪かったかかとは右足でしたか？　左足でしたか？」と記者が訊くと、トランプ大統領は「忘れた」と答えましたね。「どのお医者さんにかかって証明書を出してもらったんですか」と聞いても「忘れた」という答え。『ニューヨーク・タイムズ』が調べて分かりました。トランプの父親が莫大なお金を寄附して援助している医者が、トランプのかかとの具合が悪いという証明書を出し、これで徴兵されないで済んだのです。

## コラム　堂々とやるから裏口入学にならない

アメリカには国立大学はなく、公立の大学は、各州の州立大学になります。その他の大学は、私立大学です。私立大学は、その教育方針も経営方針も自由ですから、莫大な寄付があれば、その子弟が入学できるということはよくあることなのです。それがハーバード大学であろうと。第三十五代大統領のジョン・F・ケネディもその一人。彼の成績ではとてもハーバード大学には入学できませんでしたが、彼の父親が大学に莫大な寄付をし、無事に入学できたのです。

アメリカの大学に行くと、あちこちに人の名前のついた建物があります。たいていはその人の寄付によってできた建物で、それだけの寄付をすれば子供を入学させることができるわけです。大学にとってみれば、出来の悪い学生を一人入れたところで、成績が悪ければ落第させればいいわけで、それよりその寄付で奨学金制度をつくれば、優秀な学生を集めることができます。何十億円もの寄付金を提供して、子供は入学。堂々とやれば、裏口入学にはならないということです。

## 大学にも警察がいる

それぞれの州が国家ですから警察組織もそれぞれ別々にあります。特にアメリカは自治体警察が非常に強い力を持っています。とにかく自分たちのことは自分たちでやるという意識が強いので、それぞれの州ごとに独自の警察が存在するわけです。

例えばハリウッド映画などによく出てくるＮＹＰＤ。あれはニューヨーク市の警察で、それ以外にニューヨーク州の警察もあります。

アメリカでは、時々シェリフと書かれたパトカーを見かけます。シェリフとは保安官。郊外には保安官事務所というものがあって、これも州警察や市の警察とは別の組織になっています。

そしてアメリカでは、なんと警察や検察のトップは選挙で選ばれます。もちろん保安官も。すべては民主主義の名のもとに、選挙で公正にものごとを進めましょうということです。選挙で選ばれた警察組織のトップたちは、次回の選挙でも選ばれなければその地位にとどまることができません。再び当選するためには実績が必要になります。実績を残すために部下にプレッシャーをかける。現場の警察官は、とにかく犯人を捕まえなくては、と必死になる。その結果、冤罪が生まれやすいという指摘もあるほどです。

第二次世界大戦が終わった後、日本を占領したＧＨＱ（連合国総司令部）はアメリカの方式を取り入れて、日本に国家警察と自治体警察というものを別々につくりました。全国の自治体警察がその地区の警視庁を名乗るようになります。大阪市警視庁とか、釧路警視庁とか。そうなると犯罪者が管轄の違う地域に逃げれば、手が出せないケースが増えてきます。アメリカと違って日本は狭いので、簡単に他の地域に逃げられるわけです。そこで、サンフランシスコ講和条約で独立したのち、独自に都道府県単位に警察を再編成したのです。

現在は四十七都道府県に加えて皇宮警察があり、その四十八の警察の連絡調整をするのが警察庁という仕組みになっています。

アメリカの場合は今でも市や郡などに自治体警察があり、州にも警察があります。州を越えての犯罪になると、そこで出てくるのがＦＢＩ、というわけですね。ＦＢＩとはアメリカ連邦捜査局（Federal Bureau of Investigation）。アメリカの映画やドラマでよくあるのが、地元の警察が捜査を進めていると、その犯罪が他の州にもまたがっていることがわかる。するとＦＢＩがやってきて地元捜査チームと対立が起こったりする、といった話です。つまりそれぞれの州レベルの警察と国家レベルの警察が全く別にあるから、そんな事態にもなるのです。

ちなみに日本の場合は、都道府県の警察には捜査権がありますが、警察庁は単なる連絡調整役なので、捜査権はありません。だから、日本で「警察庁の捜査員だけど」と名乗ったら、これは嘘。詐欺犯です。さらに言えば警察庁には、制服警官は一人もいません。霞が関の役所に勤めていて、スーツにネクタイ姿です。

アメリカには日本銀行にあたる連邦準備制度理事会（ＦＲＢ）があります。ＦＲＢはワシントンD．C．にあり、全国十二の地域にある連邦準備銀行をまとめ、金融政策を決めています。あるとき、ニューヨークにある連邦準備銀行の建物の前にいたら、パトカーが停まっていて、よく見るとFederal Reserve Policeと書いてありました。ＦＲＢが警察を持っていて、現金の輸送や警備などを独自に行っているのですね。こういうところにも個別の警察があるのか、と驚きました。

さらにいうと、アメリカの主な大学にはユニバーシティポリスというものがあります。日本の大学独自の警察組織で、ハーバード大学にもスタンフォード大学にもあります。日本の大学の構内にパトカーがいると、「何か事件でもあったのか？」とすぐに思ってしまいますが、アメリカの大学では、大学の警察がパトカーを走らせて学内のパトロールをしていたりするのはめずらしくない光景なのです。

それぐらいアメリカには実に多様な警察がある。あくまで自分たちのことは自分たちで守る、という自治意識がそういう形になっているということです。

## キリスト教が前提の政教分離

アメリカの大統領就任式では、まず新大統領が左手を聖書の上に置き、右手を掲げて宣誓します。最後は「ゴッド・ブレス・アメリカ」（アメリカに神のお恵みがありますように）という言葉で締めくくられます。これは、大統領の就任式に限られたことではありません。あらゆる政治の行事でこのような宣誓が行われています。アメリカは「政教分離」の国だと言われているのになぜか。このことを理解するには、アメリカという国の成り立ちを知る必要があります。

一六二〇年、メイフラワー号が現在のマサチューセッツ州プリマスに到着します。イギリスの植民地建設はそれ以前に現在のバージニア州に始まっていて、そこを目指したメイフラワー号でしたが、風に流され、はるか北にたどり着いたのでした。彼らはイギリス国教会に不満を持ち、その結果迫害を受けた人たちで、国教会を純粋（ピュア）にすることを求めていたのでピューリタンと呼ばれました。自らをピルグリム（巡礼者）と称し、植民地を拓《ひら》いていきました。

キリスト教徒にとっての聖典は『旧約聖書』と『新約聖書』です。その『旧約聖書』に「出《しゅつ》エジプト」という記述があり、エジプトで奴隷状態になっていたユダヤ人を神の命を受けたモーセが救い出し、苦難の末に神から与えられた土地、カナンにたどり着いた、とあります。イギリスから渡ってきたピューリタンたちは、自分たちをこの「出エジプト」の記述に重ね合わせ、アメリカを神から与えられた土地とみなしたのです。

アメリカには先住民がいましたが、ピューリタンたちの入植の結果、ある部族は天然痘《てんねんとう》で絶滅します。天然痘はイギリスから持ち込まれたもので、先住民たちには免疫がありませんでした。しかし彼らは「神様から選ばれた私たちがカナンの地に来たら、神様のお恵みで先住民たちがどんどん死んでいき、この土地を私たちに与えてくれた」という勝手な解釈をしました。さらには植民地化にあたって先住民の抵抗があると、古代ユダヤ民族がカナン人を絶滅させたように、先住民を武力で制圧するようになりました。

やがて十三の植民地ができますが、このすべての植民地がピューリタンによってつくられたわけではありませんでした。バージニアはイギリス国教会、ペンシルベニアはクエーカー教、メリーランドはカトリックというように、植民地によって同じキリスト教でも宗派が異なっていました。ですから、十三の植民地がまとまって一つの国家をつくろうというとき、特定の宗派に統一することはできませんでした。さらにはイギリス国教会が「国教」となったために堕落したと考えた人も多く、アメリカでは「国教」を定めず、自由な宗教活動ができるようにしたのです。

アメリカ合衆国憲法修正第一条にはこうあります。「連邦議会は宗教を固定したり、宗教上の自由な活動を禁止したりする法律を制定してはならない」。これがアメリカの政教分離です。つまりそこには、「全員がキリスト教徒である」という大前提があったのです。

アメリカの貨幣にはどれも「IN GOD WE TRUST」と書かれています。「我々は神を信じる」とあるのです。国家が成立したときには、前提としての宗教が存在していたことがうかがえます。

## 「進化論禁止法」という法律

イスラム原理主義という言葉を聞いたことがあると思います。ところがそう呼ばれる人たちが「イスラム原理主義者」と自称することはありません。原理主義者（ファンダメンタリスト）はキリスト教から出た言葉で、イスラム原理主義者というのはキリスト教側がイスラム教にあてはめた名称なのです。

キリスト教原理主義者とは、聖書にある一言一句が真実である、という立場をとる人たちのことです。このキリスト教原理主義を中心としたキリスト教保守派は、中西部や南部に多く、かつてはテネシー州をはじめとする十三の州で「進化論禁止法」というものが存在していました。

一九二五年三月、テネシー州議会は公立学校で「進化論」を教えることを禁止する法律を制定しました。ダーウィンの「進化論」によれば、人間はサルの仲間から進化したということになっていますが、『旧約聖書』においては、人間は神が創造した、とあります。聖書に神様がおつくりになったと書かれているのに、それをサルから進化したなどと学校で教えてはならない、というわけです。

その年の七月、テネシー州のデイトンで臨時の高校教師が理科の授業で進化論を教えたため、逮捕されました。裁判では、検察側は聖書が正しく進化論が間違っているということを証明しなければなりません。教師の弁護士はこんな質問をしています。

アダムとイブは神様に「食べてはいけない」と言われていた知恵の実を食べてしまい、楽園を追放されることになる。アダムとイブをそそのかしたのがヘビであり、そのヘビは神様の怒りをかって、その後地面を這《は》いまわる姿に変えられたとあります。では、それ以前、ヘビはどんな姿だったのでしょうか。この質問に検察官は答えられませんでした。それでも判決で教師は有罪となり、一〇〇ドルの罰金刑が言い渡されたのでした。

実はこの事件は、進化論禁止法に反対する人たちが画策したもので、進化論を教えてはならないという州の愚かしさを広く知ってもらおうと、逮捕を承知で教師を送り込んだのでした。彼らの目論見《もくろみ》通り、裁判の様子は全米に報道され、「モンキー裁判」という名前までつけられました。弁護団は控訴し、控訴裁判所に持ち込まれますが、ここでは手続き上の誤りがあったということで判決が破棄されています。結局、進化論を教えたことが違法であるかどうかは判断されないままでした。

しかし、この裁判の後、テネシー州の教科書からは進化論の記述がなくなりました。たとえ有罪の判決が破棄されたとしても、教育の現場では進化論が書かれている教科書は採用されませんでした。結局、教えようとする教師は生徒の親たちに厳しく抗議されることになりますから。

テネシー州では一九六七年に「進化論禁止法」が廃止になっています。他の州でもこの法律が残っているところはありません。だからといって、中西部や南部でキリスト教保守派の勢力が衰えているわけではありません。

二〇〇七年、ケンタッキー州のピーターズバーグに「創造博物館（Creation Museum）」というものができました。キリスト教原理主義に従い、聖書がいかに正しいかということを、さまざまな展示を使って見せる博物館です。取材に行ったのは平日でしたが、大勢の来館者でにぎわっていました。そして発見しました。アダムとイブに知恵の実を食べさせているヘビの図があったのです。そのヘビには手足がありましたね。これぞ蛇足です。

さらにその近くには、「方舟との遭遇（Ark Encounter）」という一大テーマパークがあります。『旧約聖書』におけるノアの方舟を再現し、ここでも聖書の記述がいかに正しいかを証明してみせようとするものです。さまざまな動物のつがいを乗せることができる巨

2016年、ケンタッキー州ウイリアムズタウンにある「方舟との遭遇」

大な木造船には驚いてしまいます。そしてここも、平日から大混雑でした。

　平日の来館者が多い理由は、ホームスクーリングというシステムがあるからです。アメリカでは、教育委員会に届ければ、家庭での教育が認められています。そういう世帯が一〇〇万ほどあるということです。学校に通わせれば進化論なんてとんでもない反聖書的なことを教えられてしまう。ならば、学校に行かせないで家庭で教育しよう、ということなのです。

　ちなみに、アメリカでは教育委員会の委員も、それぞれの地区での選挙で選ばれます。教育委員の選挙は、州知事、裁判所の裁判官や検事などの選挙とともに大統領選挙と同時に行われるのが一般的です。ですから投票用紙はとても長いものになります。

選挙期間中にアメリカに行くと、さまざまな種類の選挙ポスターを目にします。キリスト教保守派の多い南部などでは、「学校で進化論を教えさせない」という教育委員候補の公約があったりするのです。こういう人たちが教育委員に当選し、実際に学校現場に圧力をかけると、進化論の記述がある教科書は使われなかったりするのです。

進化論以外にも、神様がノアの一族に「産めよ、増やせよ、地に満てよ」と言ったということから、妊娠中絶は絶対に認めない。また、神様がそもそもアダムとイブをおつくりになったのだから、男と女が結ばれるのが本来の姿であり、よって同性婚に反対する、ということが選挙の公約になり、アメリカの地域によっては、それを支持する人が大勢いるのです。

## オバマ大統領は〝銃のセールスマン〟

アメリカ合衆国憲法修正第二条に、「規律ある民兵団は、自由な国家の安全にとって必要であるから、国民が武器を保有し携行する権利は、侵してはならない」（アメリカンセンターの訳による）と書いてあります。つまり、国民が武器を所有して携帯することを憲法が認めているのです。

このことも、アメリカという国の成り立ちがかかわっています。前にも述べましたが、ピューリタンたちがイギリスからやってきたとき、すでに彼らは武器を持っていました。その武器があったからこそ先住民の土地を奪って開拓することができたし、さらには武器を持つ民兵軍が組織できたからこそ独立戦争に勝利することができたのです。「自分たちの安全は自分たちで守る」。この精神が憲法に込められ、武器を持つ権利を侵してはならない、といっているのです。

しかしアメリカでは、悲惨な銃の乱射事件が後を絶ちません。その度に「銃の規制」という声が上がるのですが、銃規制が始まったという報道は流れてきません。それは、この権利を何が何でも守ろうという組織があるからです。それがＮＲＡ（National Rifle Association）、全米ライフル協会です。会員数は公称で五〇〇万人以上で、莫大な予算を持っています。その資金力によって政治にも大きな影響力を及ぼしています。

アメリカは上院議員も下院議員も全部小選挙区制です。つまり、一つの選挙区から当選するのは一人だけです。ほとんどの場合、共和党と民主党の一騎打ちになります。このとき、例えば民主党の候補者が、「銃を規制しなければいけない。あんな銃の乱射事件が起きないように銃を簡単に持てないようにしましょう」と主張すると、ＮＲＡはその対立候補である共和党の候補者に莫大な政治献金をします。アメリカの選挙運動は、テレビでコマーシャルを流すなど、メディアを使うのが主流なので大変なお金がかかります。対立候補にNRAから資金が流れれば、銃規制を訴えた候補は落選することになるのです。

民主党の議員の中で時折「銃の規制をしなければいけない」と言う人がいます。その人は任期切れとともに立候補するつもりがなく、次の選挙に出ないので、安心してNRAを批判することができるのですね。

銃規制というと、我々は「銃のない社会」を発想しがちですが、そもそもアメリカでは憲法で銃を持つ権利が認められていますから、実際の銃規制の主張は次のようになります。

アメリカで銃の規制派は「銃を売るな」とか、「銃を持つな」とか言っているわけではありません。「銃を持つ権利があり、買う権利もある。だけど売るときには購入者の犯罪歴などをチェックする仕組みをつくりましょう」と言っているのです。規制といってもこの程度のことなのですが、この程度もできないのが現状なのです。

全国レベルの銃規制に関しては、一九九三年に成立した「ブレイディ法」というものがありました。これは、銃を購入しようとしたときに五日間の待機期間を設け、その間に購入者に犯罪歴がないか、麻薬中毒者ではないか、などを調査し、対象の購入希望者には銃を販売しない、という法律でした。この法律が施行された最初の一年で、四十四万人の購入希望者のうち四万人あまりが販売を拒否されています。

しかしこの法律も、購入希望者のプライバシーを侵害していると反論が上がり、二〇〇四年に法律の期限を迎えた際、当時のブッシュ大統領（息子）が延長の手続きをしなかったために失効してしまいました。ブッシュ大統領はもちろん、銃規制反対派でした。現在でもニューヨーク州など一部の州では、独自の規制法がありますが、テキサス州などまったく規制のない州では、いつでも誰でも簡単に銃を手に入れることができます。

アメリカには銃砲販売店が二十五万もあるといわれ、銃を供給する武器メーカーも含めて一大産業ができ上がっています。それらがＮＲＡを支え、その利権システムがあるがゆえに銃規制がなかなか進まない状況になっているのです。

オバマ大統領のときにも酷い銃の乱射事件が起きました。オバマ大統領は「銃を規制して簡単に買えないようにする仕組みが必要だ」と演説します。その直後に私はテキサスに行ったのですが、銃砲店の店頭にオバマ大統領の写真があり、「オバマ大統領は銃のセールスマン」と書かれていました。規制が始まるかもしれないと心配した人たちが銃砲店に駆け込み、銃が飛ぶように売れたというわけです。皮肉なことですが。

## アメリカファースト

二〇一七年、トランプ大統領が誕生して、アメリカは大きく変わっていきました。「Make America Great Again（アメリカを再び偉大にする）」と選挙期間中に繰り返し、大統領に就任してからは「アメリカファースト」を主張して自国第一主義の道を突き進んでいます。しかし、歴史をさかのぼってみれば、「アメリカファースト」を謳《うた》ったのはトランプが最初ではないことがわかります。

かつてアメリカに、モンロー主義という孤立主義をつらぬく外交政策がありました。一八二三年にジェームズ・モンロー大統領が発表したもので、要はヨーロッパのことにアメリカは口を出さないから、南北アメリカ大陸に対してもヨーロッパは口を出すな、ということです。これ以降、アメリカはこの孤立主義を守り続けていたのです。

このことからアメリカは第一次世界大戦にも最初は参戦しませんでした。イギリスの貨物船がドイツに攻撃されて、乗船していたアメリカ人が犠牲になってはじめて、重い腰をあげて参戦にふみきったのです。

第一次世界大戦が終わると、ウッドロウ・ウィルソン大統領は安定的な平和と国家間の関係改善を目指して国際連盟の設立を提唱します。この呼びかけによって一九二〇年に発足した国際連盟ですが、言い出したアメリカは結局参加しないことになります。モンロー主義を貫くべきだという議会の反対にあい、国際連盟への参加は承認されなかったのです。

第二次世界大戦においても、アメリカの姿勢は変わりません。ナチス・ドイツがヨーロッパを席巻《せっけん》し、イギリスの再三の参戦要請にも応えようとはしませんでした。最終的に参戦したのは、日本に真珠湾を攻撃されたからです。

日本が真珠湾を攻撃したというニュースを聞いたイギリスのチャーチル首相は、「これで戦争に勝てる」と喜んだといいます。これでアメリカが参戦すると判断したのですね。

第二次世界大戦後はソビエトを中心に社会主義圏が確立されていきます。それに対し、ヨーロッパの国々は戦争で疲弊して対抗できません。そうなると資本主義体制が脅《おびや》かされることになります。東西冷戦のはじまりです。社会主義の拡張に危機感をおぼえたアメリカは、モンロー主義を捨てて世界に展開していくことになったのです。朝鮮半島もベトナムも、アフガニスタンもイラクも、世界のどこかでいさかいがあればアメリカ軍が駆けつける。まさに世界の警察官のような存在になり、ときにはその存在が戦争の抑止力にもなったということです。

そこにトランプ大統領が登場し「アメリカファースト」を強調します。つまり、そもそもアメリカは「自分の安全は自分で守る」という国であり、その裏には「よそのことは知ったことではない」という孤立主義がありました。アメリカは伝統的なモンロー主義に戻りつつあるのです。

## 引くに引けない貿易摩擦

二〇一六年の大統領選挙において、トランプ候補はオバマ政権の政策を真っ向から否定し、それを公約に掲げて支持を集めました。就任数日後に大統領令に署名した「ＴＰＰ（環太平洋パートナーシップ）からの離脱」もその公約の一つでした。

アメリカ第一主義の発想から生まれた「ＴＰＰからの離脱」ですが、アメリカにとってはプラスの効果もマイナスの効果もあります。マイナス面でいえば農業製品の輸出減少。関税がなくなれば、輸出先でアメリカ産の農業製品は値下がりするはずでしたが、ＴＰＰ離脱でこの効果は望めません。一方で離脱を喜んでいるのは工場労働者たちで、保護主義政策が強まれば国内での生産が増え、雇用も拡大されると期待しています。

ここで大事なのは、政党の支持率の割合です。農民の多い州はもともと共和党の強いところで、農民たちが多少の不満の声をあげたところで、支持政党が変わることはありません。しかし、工業地帯の多い州はスイングステートと呼ばれ、何かがある度に有権者の支持は振り子のように二大政党間を揺れ動きます。トランプは彼らに雇用の拡大を約束して大統領になったわけですから、この公約を反故《ほご》にするわけにはいかないのです。

さらには貿易赤字を減らすために、輸入品への関税を引き上げます。二〇一八年三月のことです。とくに対象となったのは鉄鋼製品をはじめとする中国製品。中国産の安価な製品が世界に出回っているために、アメリカ製品が売れなくなっている、という理由からでした。その後、二〇一八年七月には、中国からの八〇〇ほどの輸入品目に二十五パーセントの関税をかけます。関税という圧力で中国からの輸入を減らすとともに、国内産業に期待を持たせようとしました。しかし中国は黙っていません。アメリカから輸入される、およそ五〇〇品目に二十五パーセントの関税をかけることにしました。品目の数に差はありますが、金額で言うとどちらも三四〇億ドル相当になります。これが米中貿易戦争の始まりです。

八月にアメリカがさらに半導体などを含む三〇〇品目に関税をかける決定をすると、中国も自動車などの三〇〇品目に関税をかけることで対抗します。二〇一八年九月の段階で、アメリカは中国から輸入するおよそ半分の品目に、中国は二〇一九年末に一部の商品に関税の上乗せをやめましたが、アメリカから輸入する七割の品目に関税を上乗せするところまでエスカレートしました。貿易摩擦が起こり、お互いが関税をかけあうようになってしまうと両国の経済に悪影響が出るのですが、どちらも景気対策などでしのいでいます。しかしアメリカと中国は世界第一位と第二位の経済大国であり、両者のいがみ合いによる世界経済への影響は、避けられないものになっています。

## 学生からの質問

**Q** 戦後、日本を占領したGHQが、アメリカ式の警察組織を日本に取り入れたというお話をうかがいました。その他にも、さまざまなところでアメリカ式に変えられたものはあったと思うのですが、議会を変えようとしなかったのはなぜでしょうか。

**A** 敗戦時、日本には帝国議会がありました。これは貴族院と衆議院の二院制で、アメリカは貴族院をなくして衆議院だけにするよう求めてきました。これに対して日本はアメリカの提案を拒否し、貴族院を参議院に変えて二院制を維持しました。アメリカにとってみれば、議会制民主主義がとられているならそれでいいわけで、それより重要なのは、天皇の力をなくすことと、日本が二度と戦争をしないようにすることでした。つまり、新しい憲法の草案をつくり、戦争の放棄や、天皇が権力を持たない国民の象徴であることが明記できればいいわけで、日本の議会そのものを否定するとか変えようとするとかは、まったく考えていなかったのです。

戦前から、選挙権があるのは成人男子だけだったにせよ、議員は選挙で選ばれていました。しかし、都道府県の知事は当時の内務省から派遣されていました。選ばれた知事ではなかったのです。そこで、アメリカはこの知事を選挙で選ぶ仕組みに変えました。その結果、都道府県議会の議員と知事が、それぞれ別の選挙で選ばれるという二元代表制になってしまいました。日本にはなかった制度が、ここにだけ導入されたのでした。

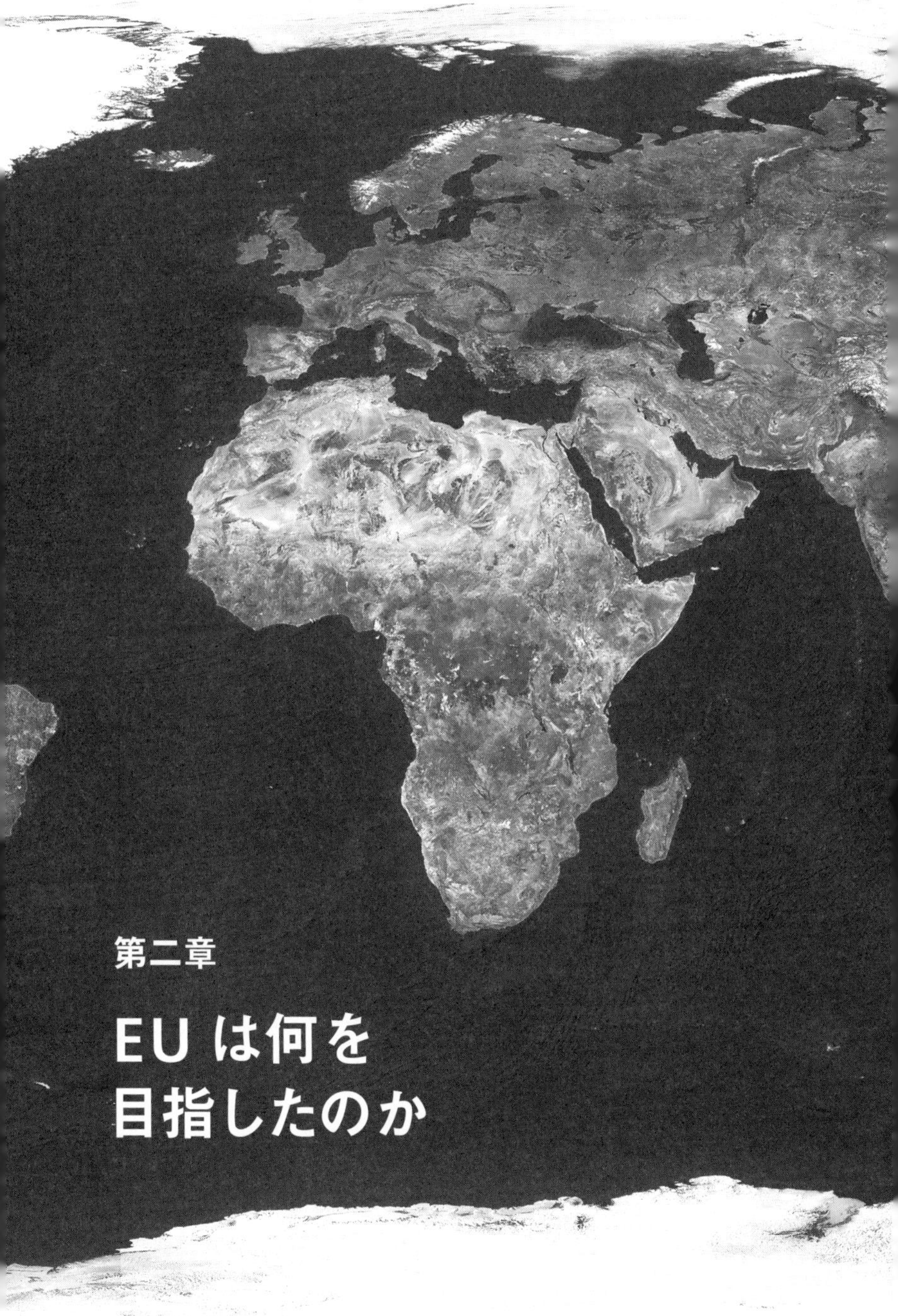

第二章

# EUは何を目指したのか

2016年6月、国民投票の直前、EU残留を訴えるキャメロン首相（当時）

## イギリスのEU離脱

「イギリスがＥＵから離脱する」というニュースは、世界を驚かせました。それはイギリス国内でも同じでした。離脱反対派の多くが国民投票に行かなかったことも離脱が決まった原因の一つといわれています。「イギリスがＥＵから離脱するはずがない」、そう信じていたために、自分が反対票を入れなくても離脱することにはならないだろう、と考えた人が多くいたのです。

さらには、離脱には反対だし、離脱するはずもないだろうけど、これを機会にイギリスの不満をＥＵに表明するきっかけになればと、賛成票を投じた人もいたということです。離脱賛成票は約五十二パーセント。半数をわずかに超えただけでした。

Britain（イギリス）とExit（離脱）を合わせてBREXITという言葉が生まれましたが、Britain（イギリス）とRegret（後悔）を合わせたBREGRETという言葉も登場しました。多くのイギリス国民が後悔していますが、元には戻れません。

## 戦争をしないために

ヨーロッパは長きにわたって戦場となってきました。三十年戦争、百年戦争、そのほかにも各地で戦争が絶えませんでした。そして第一次世界大戦、さらには第二次世界大戦。ヨーロッパ中が焼け野原となり、大勢の犠牲者を出しました。

二度と戦争を起こさないようにするにはどうすればいいのか。ＥＵの歴史は、この発想から始まったのです。そこから導き出されたのが、「国境をなくす」、つまり「一つの国家にする」という答えです。アメリカも五十の国が集まって連邦国家を形成しています。ヨーロッパも連合して欧州合衆国にすれば、ヨーロッパ内で戦争は起こらないはずだという考えです。

しかし現実は理想には遠く、あらゆる問題を地道に解決しながら統合に向かうしかありませんでした。

第二次世界大戦後の一九四七年、アメリカの国務長官だったジョージ・マーシャルが、ヨーロッパの復興のためにアメリカは大規模な支援をする、と発表します。そこからこの計画はマーシャル・プラン（正式には欧州復興計画）と呼ばれるようになります。これを受けたヨーロッパ十六カ国は一九四八年に欧州経済協力機構（ＯＥＥＣ）を設立し、本格的な戦後復興が始まりました。

フランスと西ドイツの間にアルザス＝ロレーヌ地方という、石炭の産地があり、その石炭を原料にした鉄鋼産業が非常に発展している地域がありました。西ドイツは、ここでもう一度石炭を掘り、鉄鋼業で経済を立て直したいと考えます。しかしフランスは、アルザス＝ロレーヌ地方というのは、フランスとドイツが幾度も奪い合ったところであり、そこで西ドイツがまた石炭を掘り、鉄鋼業が盛んになると、再び経済力をつけ、軍事力を増強するのではないかと危惧します。ドイツの再興を恐れたわけです。ならば、周辺の国も一緒になってここの石炭と鉄鋼業を共同管理すればいいという発想から、一九五二年に発足したのが欧州石炭鉄鋼共同体（ＥＣＳＣ）でした。これが欧州統合への第一歩でした。つづいて一九五七年に欧州経済共同体（ＥＥＣ）、さらには欧州原子力共同体（ＥＵＲＡＴＯＭ）などをつくり、西ヨーロッパ各国の協力分野を拡大させ、これらがＥＵ

の足掛かりとなっていきます。

一方でソ連は、これに対抗して経済相互援助会議（ＣＯＭＥＣＯＮ）を一九四九年に発足させ、東ヨーロッパ諸国を傘下に入れて経済圏を構成します。ソ連が中心になって東ヨーロッパに社会主義を浸透させ、各国が分業体制で経済を推し進めます。こうしてヨーロッパは、経済協力体制でも西側と東側に分断されたのでした。

## 国境がないということ

ＥＵの前身はＥＣ（欧州共同体）で、当初は六カ国でしたが最終的に十二カ国になっていました。

そもそも欧州経済共同体（ＥＥＣ）の段階では、イギリスは加盟していませんでした。というのも、イギリスは島国であり、大陸のヨーロッパとは違うという意識があったからです。さらにはカナダやオーストラリア、ニュージーランドなどとともにイギリス連邦を形成していて、すでに経済共同体があり、あらたにＥＥＣに入る必要はないと考えたのでした。ところが、ＥＥＣに加盟した国々が経済的に発展するのを見て焦ります。そこでＥＣになったときに加盟を表明するのですが、それに反対したのがフランスのシャルル・

ド・ゴール大統領でした。

第二次世界大戦でフランスがドイツに占領されたとき、ド・ゴールはイギリスに亡命して亡命政府をつくっていたのですが、それでもイギリスを嫌い、警戒していました。イギリスとフランスは百年戦争を戦った間柄。さらにド・ゴールはイギリスの背後にあるアメリカを信用していなかったのでした。このド・ゴールが一九七〇年に死去し、イギリスは一九七三年にようやくECに加盟することになったのです。

これらの加盟国が経済、通貨、さらには政治的な連合をめざすという条約に署名し、一九九三年にEU（欧州連合）が誕生しました。

ヨーロッパから戦争をなくそうという理想がある一方で、経済的に大きな力を持つこともEUの求める姿でした。アメリカには二億人以上が住んでいて経済圏として発展している。同様に発展している日本の人口も一億二〇〇〇万人を超えている。つまりマーケットがあるということは経済の発展を支えます。ヨーロッパの一つ一つの国を見れば、それぞれが五〇〇〇万人だったり三〇〇〇万人だったりで、ドイツでさえ八〇〇〇万人という小さなマーケットの規模です。しかしヨーロッパがまとまれば巨大な経済圏になるというわけです。結果的に戦争をなくすと同時にヨーロッパ全体の経済の発展のためにも、EUは不可欠な存在になったのでした。

当初、関税のないＥＵ内では、物の移動は自由でしたが、国境は管理されていました。人は自由に行き来できなかったのですね。人がパスポートなしに自由に行き来できるようにしたのが一九八五年に締結されたシェンゲン協定です。協定が結ばれたルクセンブルクの町の名前にちなんで、そう呼ばれています。ＥＵの中には、イギリスなどシェンゲン協定に入っていない国もありますが、基本的にはパスポートのチェックなど、国境での審査はなくなりました。

欧州連合として統一するのに欠かせないもう一つ、それが通貨でした。通貨が違うということは、他の国に入れば両替が必要になります。ＥＵ加盟国はそれぞれ別の通貨でしたから、ＥＵ各国を回っていくと、両替の度に手数料がかかり、最初に持っていたお金が半分になってしまうという状態でした。共通通貨にすれば、そういう無駄はなくなり、さらに言えば別々の国でつくられた同じような商品が価格面で比較しやすくなります。そうなれば価格競争が起こり、経済は活性化します。

しかし、いきなり共通通貨を導入すれば混乱が生じます。そこでまず、バーチャルな通貨単位エキュ（European Currency Unit 略してＥＣＵ）というものをつくり、各国の通貨価値をはかることにしました。そしてこのエキュが浸透したところで、これを共通通貨にすることにしたのです。

ところが、ドイツの学者が、かつてフランスで「エキュ」という通貨単位があったことを見つけます。ドイツは「エキュ」という名前の使用に猛反発。結局、Europe の頭の文字を取ってEUROにしようということで、ユーロになったわけですね。

ちなみにユーロの紙幣には、表側には窓が、裏側には橋が描かれています。世界に開かれた窓、世界との架け橋という意味で、表裏に窓と橋の絵が描かれました。いかにもヨーロッパのどこかにありそうな景色ですが、どこにも存在しない窓と橋です。どの国からも不満が出ないように、モデルのない景色が使われたのです。

## コラム　拒否される五〇〇ユーロ

現在は、五ユーロ、一〇ユーロ、二〇ユーロ、五〇ユーロ、一〇〇ユーロ、二〇〇ユーロ、五〇〇ユーロという七種類のユーロ紙幣があります。発行数が一番多いのが五〇〇ユーロ紙幣です。しかし、旅行などでユーロ圏に行っても、五〇〇ユーロはなかなか目にすることがありません。日本円にして約六万円（二〇一九年現在）の高額紙幣。偽造される可能性が最も高く、レストランでもデパートでも受け取ってもらえません。そもそもレジの脇に「五〇〇ユーロは使用できません」と書いてあったりします。

なのになぜ、五〇〇ユーロ紙幣が最も多く発行されているのか。それは、高額の取引であるにもかかわらず、銀行などに記録を残したくないために現金取引をする人がいるから。つまり、麻薬や武器を扱う組織のこと。紙幣が高額であるほど現金がかさばりませんからね。こういう取引に五〇〇ユーロ紙幣が使われていることがわかり、現在は新規に発行されていません。

## 移動の自由と出稼ぎ

ＥＵに大きな転機がおとずれたのは、一九九一年のソビエトの崩壊でした。これにともない、ソビエト連邦を構成していたうちの十五の国が分離・独立を果たします。それらの国々はつぎつぎとＥＵへの加盟を希望します。社会主義体制下で経済が行き詰まっていたため、西ヨーロッパの資本主義体制に何とか入りたいと思ったのです。

ＥＵはこれを歓迎しました。というのも、社会主義の国々は教育に力を入れていましたから、教育水準がきわめて高かったのです。その一方で、賃金は安い。ドイツの自動車メーカーはチェコやスロバキア、ハンガリーなどに工場建設を計画します。東側に工場を移せば、教育水準の高い労働者を低賃金で雇うことができる。西側の国はどこもこう考えました。

ところがEUに加盟するということは、物だけでなく人の行き来も自由になるということです。東ヨーロッパの人にとって見れば、工場ができるのを待っている必要はありません。自分たちから動いていけばいいのですから。

とりわけ大勢の労働者が出稼ぎに出たのが、ポーランドでした。ポーランドは第二次世界大戦中、東側がソ連に、西側がナチス・ドイツによって分割され、国が一時的になくなってしまうという悲しい歴史がありました。そのとき、ポーランドの亡命政府があったのがイギリスでした。大勢のポーランド人がイギリスに逃げ、イギリスにはポーランド人のコミュニティができていたのです。ですからポーランドがEUに加盟すると、多くのポーランド人がそのコミュニティを頼ってイギリスに行くようになったのです。

イギリスにおいて、彼らは低賃金でも喜んで働きます。安い賃金でも、それを少しずつでも貯めて本国に送れば、物価の違う故郷では大金になります。ご近所の人がイギリスに行くと、しばらくして豪邸が立つ。ならば我々も、ということになり、ポーランドからイ

2016年、イギリス、ドーバーでの反移民デモ

ギリスへの出稼ぎは加速していきました。二〇一九年現在で、イギリス全体では一〇〇万人のポーランド人がいるといわれています。

こうなってくると、イギリスの労働者たちから不満や反感が出てきます。彼らにしてみれば、ポーランド人が安い給料で喜んで働くものだから、自分たちの給料が上がらない、あるいは自分たちの仕事が奪われるということになります。

このような現象はイギリスだけでなく、EU内の生活水準が高い国のどこもが抱える、新たな問題になっています。

## イギリスのさらなる不満

アメリカでは、オバマ政権時に国民の多くが加入できる医療保険制度をつくりました。「オバマケア」といわれるものです。それ以前のアメリカは、五〇〇〇万人近い人が無保険、つまり医療保険に入っていないという悲惨な状態になっていました。

アメリカでは医療費が非常に高く、例えば虫垂炎で入院して手術を受けると、およそ一〇〇万円かかるといわれています。保険がなければ全額患者が支払うことになります。企業の正規社員であれば会社が医療保険に入り、保険料も支払ってくれますが、クビになった途端、無保険の状態になります。個人で入るには高額の保険料が必要になります。

そうなると保険に入っていない患者は病院に行けません。家で寝て治すしかありません。病状が悪化すると、救急車を呼ぶことになります。アメリカでは、救急車で運ばれた患者は必ず診療しなくてはいけないというルールがあるからです。治療が終わると患者は逃げ出します。そこで登場するのが、病院のための保険。患者が逃げて医療費を取り損ねた場合、それを肩代わりしてくれる保険です。しかし、この保険料は病院が負担するわけで、結果的に医療費の高騰につながっているのです。

これを改善する目的でつくられたオバマケアでしたが、すでにある制度の上につくられたものですから、非常にお金がかかり、国民皆保険といいながら加入できない人がいたりと、問題の多い状態になっています。

日本がモデルにしたのがイギリスの医療保険制度です。イギリスでは、医療費は全て無料です。これはイギリス国民だけではなくて、イギリスに引っ越してきた人や旅行者でもイギリスで病院にかかれば、全部無料で診《み》てもらえるという仕組みになっています。そうなると、ポーランドからイギリスに出稼ぎに来ている人も無料で治療が受けられます。

これを見たイギリス人はどう思うでしょうか。我々が高い税金を払って維持してきた医療制度に、ポーランド人やその他の移民たちがタダ乗りしている。

つまりＥＵに加盟しているから外国人労働者が増え、その労働者が低賃金で働くために自分たちの給料は上がらず、仕事は減って失業率は高くなる。それに加えて自分たちの医療制度に外国人はタダ乗りまでしている。だったら、ＥＵから脱退し、元の状態にすればいい。これがＥＵ離脱賛成派の大きな理由です。

## コラム　医療保険とインフルエンザの致死率

二〇〇九年、アメリカで新型インフルエンザが大流行しました。感染力も強く、さらには致死率も高いという情報が出され、世界中で恐れられました。日本も水際で防ごうと、アメリカやメキシコからの路線のある空港では、保健所の職員が到着した機内に入り、感染者がいないかどうかを調べましたが、国内侵入を防ぐことはできませんでした。パニック寸前の大騒ぎになりました。ところが、アメリカで死亡者の多い地域を調べると、じつは何カ月も前からインフルエンザが蔓延《まんえん》していたことが判明します。患者のほとんどが病院に行っていなかったのです。つまり、保険に入っていないので病院に行けず、家で寝ていたというのです。重篤《じゅうとく》になって初めて救急車を呼び、治療が間に合わなかったケースが致死率を高めていた原因でした。実際には、その新型インフルエンザは、それほど恐れることはないものでした。

## 危険な国民投票

ＥＵ離脱を求める声が高まる中、国民投票を実施したのは、キャメロン政権でした。「イギリス国内にはＥＵから離脱すべきだと言う連中がいる。ならば国民投票をしようじゃないか。国民投票をすれば、結局ＥＵ離脱反対派が多数を占めて、イギリスのＥＵ離脱という声が出なくなるだろう」と考えたのでした。

二〇一六年六月、ＥＵ残留か離脱かを問う国民投票がおこなわれました。

ポーランドからの移民が来たことによって仕事を奪われた人は、何としても離脱すべきだと投票に行くわけです。あるいは、自分たちの税金でつくられたさまざまな制度が、外国人たちに利用されていると感じている高齢者も離脱賛成を表明するために投票に行きます。

一方、イギリスでは十八歳から投票権がありますが、若者たちにとってみれば、物心ついたころからＥＵの一員だという思いがあります。ＥＵの中であれば、どの国にも自由に留学できます。彼らの多くは「離脱に賛成する人がそんなにいるわけがない。自分がわざわざ離脱反対をいうまでもない」といって投票に行きませんでした。

ふたを開けてみると、離脱賛成の票が多かったというわけで、驚いた若者たちは再投票を求めてデモをしますが、後の祭りです。

離脱賛成票が過半数を占め、キャメロン首相の次のメイ首相がEU離脱の手続きを進めようとしたとき、裁判所から待ったがかかりました。「イギリスは議会制民主主義だ。国の方針は議会で決めることであり、国民投票で決めることではない」というわけです。国民投票では離脱賛成が多数になりましたが、議会であらためて決めなければいけないということになったのです。国民投票の前までは、議員たちの多くは離脱に反対でした。ところが、国民投票で国民の世論が離脱賛成とわかった以上、議員たちはそれに反対できなかったのです。結局、自分の考え方とは違うけれど、国民投票という民意に従って、渋々離脱に賛成することになりました。

最終的に、イギリスのEU離脱は議会で決定されました。しかしその決定は国民投票に従っただけでした。もし国民投票とは関係なく、議会の意思で離脱を決めて混乱が起こったら、離脱賛成に投票した議員たちの責任が問われます。あるいは内閣の責任が問われることになります。ところが、国民投票で決まったとなれば、問題が起きたときに誰が責任を取るのでしょうか？　議員は責任を取って議員を辞めることができます。国民は国民をやめるわけにいきません。結局、国民投票で何かを決めるということは、何か問題があったときに責任を取る存在がないということになるのです。

一般論として「何かあったら国民投票で決めればいい」とは言えますが、実は思いも寄らない事態が起こり得るということを頭に入れておいてほしいと思います。民主主義のジレンマ、もしくは民主主義のある種の弱点と言えるかもしれません。

グレートブリテン島とアイルランド島

## 翻弄されたアイルランド

イギリスの正式名称は、グレートブリテン及び北アイルランド連合王国。略称はUK（United Kingdom of Great Britain and Northern Ireland）ですね。つまりイギリスは、連合王国ということです。グレートブリテン島にはイングランド、ウェールズ、スコットランドという三つの国があり、北アイルランドを含めた四つの国が連合し、エリザベス女王を君主として連合王国をつくっています。

イギリスでは一九六〇年代から七〇年代にかけて、北アイルランド紛争というものがありました。宗教で言えば、グレートブリテンはプロテスタント。一方、アイルランドはカトリックが多数を占めています。ところが、北アイルランドだけを見るとプロテスタントのほうが多く、ここに国境ができてしまいました。これが、紛争のきっかけとなるのです。

そもそもなぜグレートブリテンがプロテスタントでアイルランドがカトリックなのかというと、これは一六世紀にさかのぼります。一六世紀のイングランドにヘンリー八世という国王がいました。

ヘンリー八世の時代は、イングランドもカトリックでした。しかし、カトリックであることがヘンリー八世にとって都合の悪いことになるのです。このヘンリー八世、自分のお妃《きさき》に仕えていた女性を好きになり、愛人にしようとします。しかしその女性は「正式な奥さんにしてくれなきゃいや」と言います。そこでヘンリー八世は、正式に結婚している奥さんと離婚をして、そちらの女性と結婚しようとします。ところが、カトリックでは離婚が認められていません。ヘンリー八世はローマ教皇にまで会い、「離婚を認めてくれ」と言いますが却下されます。

そこで考えたヘンリー八世。「カトリックにいるから離婚できないんだ。じゃあ、カトリックから離脱して別の教会をつくればいいんだ」。こうしてつくったのが英国国教会です。

ちょうどこの一六世紀は、大陸ではルターやカルヴァンによる宗教改革が始まっていました。カトリック教会は贖宥状《しょくゆうじょう》というものを信者に売り――私が高校生の頃は免罪符と習いました――「それを買えば罪が消え、天国に行けるよ」と言って金集めをしていました。「それはおかしい」と言ってカトリックに抗議（プロテスト）する人たちが、プロテスタントと呼ばれ、この人たちがカトリックから分かれて新しい派をつくっていく。これが宗教改革です。

例えばルター派やカルヴァン派の教会は非常に質素で、いろいろなことがカトリック教会とは違っています。しかしヘンリー八世がカトリック教会から離れたのは、単に離婚したいという理由だけだったので、英国国教会はカトリック教会とそっくりです。英国国教会が、いわゆるプロテスタントと言えるのかどうかという議論はありますが、ちょうど宗教改革の流れの中でカトリックと分かれたので、こちらもプロテスタントと呼ばれるようになっています。

## コラム 王室の不動産

自分の離婚のためにカトリックを離れたヘンリー八世。六度の結婚と離婚を繰り返します。さらには英国国教会の名のもとにカトリック教会の土地や財産を取り上げ、すべて英国国教会のものにします。それを王として受け継いできた子孫がエリザベス女王。つまりイギリス王室は、イギリスで最大の地主です。イギリスの海岸線の大部分の土地は王室のもので、ロンドンの中心街にも広大な土地を所有しています。そこから得られる莫大な不動産収入でイギリス王室は維持されているのです。

このヘンリー八世の時代、アイルランドはイングランドに支配され、植民地にされてしまいます。しかし、アイルランドはカトリックの土地。その信仰を守り続けます。ただしグレートブリテン島からの入口になっていた北部アルスター地方には、大勢のプロテスタント（英国国教会教徒）が移り住み、プロテスタントの土地を築いたのでした。

第一次世界大戦後の一九一九年、独立を宣言したアイルランドはイギリスの鎮圧部隊と戦い、一九二一年に自治権を獲得します。しかし、イングランドから渡ったプロテスタントが多く住む北部だけはその後もイングランドにとどまるということになり、ここに国境線が引かれることになったのです。そして一九三一年、アイルランドは完全な独立国となります。イギリスの正式名称は、グレートブリテン及びアイルランド連合王国からグレートブリテン及び北アイルランド連合王国になりました。

ところが、このアイルランド北部はもともとカトリックの土地であり、その時点でも大勢のカトリック系アイルランド人が暮らしていました。独立以前からカトリック対プロテスタントの衝突はありましたが、国境ができ、北と南が分断されてしまってからは、アイルランド本国との統合を目指す運動が激しくなっていきます。その中で、とりわけ過激な組織がＩＲＡ（アイルランド共和軍）でした。一九六〇年代の終わりから一九七〇年代にかけて、ＩＲＡはさまざまなテロ事件を起こします。

北アイルランドの警察は大半がプロテスタントであったため、これもＩＡＲの攻撃対象でした。警察だけでは手に負えなくなり、イギリスは軍隊を派遣し鎮圧しようとしますが、そうなるとＩＲＡはロンドンでもテロを仕掛けるようになります。毎週のようにロンドンで爆弾テロが起きました。エリザベス女王が命を狙われたこともあります。当時のサッチャー首相もテロ攻撃から危うく難を逃れました。そういう事態が続く時代があったのです。

そうすると、今度は北アイルランドのプロテスタントの中に、ＩＲＡに対抗する過激派組織が生まれます。これがアルスター義勇軍です。私たちはアイルランドの国境の北側のことを北アイルランドと呼びますが、ここはイギリス領アルスター州という土地です。アルスターはプロテスタント側の呼び名になっているのです。

このアルスター義勇軍が何をしたかというと、ＩＲＡのメンバーを一人一人暗殺していくというやり方を取ったのです。北アイルランド紛争では、血で血を洗う、血なまぐさい抗争が続き、結果的に三五〇〇人以上が死んでいます。これが北アイルランド紛争です。

つまり、アイルランドと一体になりたいカトリックの過激派と、イギリスにとどまりたいプロテスタントの過激派による殺し合いがあったということです。

## イギリスの離脱後に

やがてこの紛争は、一九九八年のベルファスト合意による和平で沈静化していきますが、双方がＥＵに加盟したことも大きな理由です。アイルランド島内の国境がなくなったからです。北アイルランドのカトリック系住民は、いつでも自由にアイルランド本国と行き来ができるようになったのです。つまりＩＲＡは当初の目的を果たせたわけで、アルスター義勇軍にとっても、イギリス連邦の一員であることは維持できたのです。結果的に北アイルランド紛争が治まった大きな理由は、どちらもＥＵに入ったからということなのです。国境がないと紛争がなくなるという、これは一つの例になります。

ところが、イギリスがＥＵから離脱するということは、一方のアイルランドはＥＵにとどまりますから、ここに再び国境が引かれることになるわけです。そうすると、北アイルランドにいるカトリック系過激派のテロ活動が危惧されます。実はすでにテロが起きています。ＩＲＡから分かれた、さらに過激なＮｅｗ ＩＲＡという組織があり、活動を活発化させています。二〇一九年四月、北アイルランドの警察がＮｅｗＩＲＡのメンバーの逮捕に向かったところ、銃撃戦になり、取材をしていた女性記者が流れ弾にあたって死亡する事件もありました。

イギリスのＥＵ離脱が決まった途端、北アイルランドで再び紛争が始まりつつあるということです。イギリスがＥＵから離脱すれば、こういう問題が起こることもわかっていたはずなのですが。

さらに離脱によって生じる大きな問題は、金融でしょう。イギリスのロンドンの中心部にシティといわれる金融街があります。アメリカでいうとウォールストリート、日本ならば兜町《かぶとちょう》のようなところです。このシティというのは昔から独立性を非常に重視していて、エリザベス女王でさえ、シティに足を踏み入れることはできません。イギリスの王室を立ち入り禁止にしているというくらい、シティは独立性が高いのです。

その独立性が信用されて、世界中の金融機関がシティに支店を置き、ＥＵに加盟している間はイギリスの銀行免許があれば、ＥＵのどこの国でも自由に活動ができるようになっていました。ところが、イギリスがＥＵから離脱するとなると、イギリスの銀行免許ではフランスでもドイツでも、そしてオランダでもデンマークでも仕事ができないことになり、シティ中の金融機関がどんどんヨーロッパ大陸側に支店を移しました。日本の大和証券もロンドンからフランクフルトに移りました。次々にシティから世界中の金融機関が逃げ出していくことになり、シティがヨーロッパ金融市場の中心でなくなろうとしているのです。

## メイ首相の〝メイ案〟

キャメロン首相が国民投票を実施してイギリスのＥＵ離脱が過半数を得ましたが、具体的な離脱案は次のメイ首相に託《たく》されました。議会にも離脱反対の声は大きく、それを反映するように打ち出された方針が、関税同盟にとどまる、というものでした。

EUからは離脱するけれど、EUとイギリスの間で関税はかけず、物の行き来はこれまで通りですよ、という案です。これを議会にかけようとしたところ、たちまち離脱賛成派から不満が出ます。「EU離脱ということは関税の自主権を取り戻すことで、その自主権がないままなら離脱の意味がない」というわけです。一方、離脱反対派からもこんな意見が出ます。「関税同盟は現状のままとは言いながら、結局は離脱が前提で、そんな案は認められない」。

結局メイ首相の案は何度も否決され、責任をとるかたちで首相を退《しりぞ》きました。そして、ボリス・ジョンソンという人が首相になるのです。

二〇一六年の国民投票のときにEU離脱賛成派が一大キャンペーンを張りました。「イギリスがEUから離脱をすれば、いいことがいっぱいあるぞ」と言うわけです。

EUに加盟している国々は、当然EUを維持するための費用をそれぞれ出しているわけで、イギリスも毎年、莫大《ばくだい》なお金を出している。イギリスがEUから離脱をすれば、こんなお金を払わなくていいんだ。そのお金で医療保険制度を充実させればいいんだ、というわかりやすい主張です。当時ボリス・ジョンソンは先頭に立って、「イギリスがEUから離脱するといいぞ」と言っていたのです。

ところが、その離脱賛成キャンペーンの中身の大半がフェイクだったのです。つまり、EUからの不利益だけが並べ立てられ、イギリスの利益についてはまるで触れられていなかったのです。例えばEUには国境がありませんから海上に排他的経済水域というものがありません。そこでボリス・ジョンソンは当時、「EUにいるからフランスやデンマークの漁師たちがイギリス周辺までやってきて、我々の魚を獲《と》っていく。EUから離脱すれば、そんなことはなくなるんだ。イギリスの魚はイギリスのものだ」と訴えます。漁民たちは、なるほどと納得し、賛成票を投じたのでした。しかし、イギリスの漁民たちが現在使用している、魚の保管のための冷凍施設などは、みんなEUからの補助金で建てられていたということを後から知るのです。

このボリス・ジョンソンという人物ですが、オックスフォード大学を卒業した後、『タイムズ』という新聞社に入社しました。しかし、捏造《ねつぞう》記事を書いてクビになった過去があります。フェイクはお手のものということでしょうか。

## EUが抱える難民問題

ポーランドからの移民が、イギリスのEU離脱のきっかけになったのですが、移民の問

転覆直前のアフリカからの難民船

題はイギリスに限ったことではありません。しかし、それ以上に大きな問題となっているのが難民です。

二〇一〇年末から二〇一二年にかけて、北アフリカで「アラブの春」と呼ばれる大規模な民主化運動が起こりました。その結果、独裁政権が倒されるなど各国で大きな変化がもたらされましたが、安定を欠いた国では武力紛争が発生し、多くの難民を生み出すことになりました。さらに政情不安が続く他のアフリカ地域からも難民が発生しています。彼ら難民はアフリカを離れ、ボートで地中海を越えてギリシャやイタリアを目指したのです。

また中東シリアの内戦の激化に伴い、難民となった多くの人々が国を出ざるを得なくなっています。彼らの多くは隣国のトルコやレバノンに逃れていますが、その一部はトルコを越えてヨーロッパに入りました。

自分たちの国から逃れてきた人たちは、たどり着いた国で難民申請をします。そして、その人が「確かに母国にいれば危険な状態だ」と判断されれば定住権が与えられます。EUのどこかで難民と認定された場合、その国にいることもできますが、さらに豊かな、仕事のありそうな国に移動することも可能なのです。こうして難民はヨーロッパに広がっていきます。

## コラム 移民と難民の違い

移民というのは自分の都合、自分の意思で本国を離れた人たちのこと。仕事やさらに豊かな生活を求めて他の国へ移動したわけで、本国に帰ることも自由です。

一方、難民は難民条約という国際条約によって規定されていて、例えば政治や宗教などが違うことによって迫害を受け、自分の国にいると、さまざまな危険があり、そのために自分の国を逃げ出さざるを得なかった人のことで、難民申請をして認定されます。ですから、難民条約を結んでいる国は「難民です。助けてください」と言われたら必ず、まずは受け入れなければいけません。受け入れた上で本当に難民かどうか審査します。中には「難民です」と言いながら、実際は出稼ぎに来ただけという人もいます。そういう人は本国に送還されますが、本当に居場所がないという人については、必ず受け入れなければいけない。これが難民条約です。

難民の受け入れ方は国によってまちまちですが、宗教が異なり、生活習慣がちがう人たちを受け入れた後、どうやってその国の国民として自立できるようにするかは、なかなか答えのでない問題でもあります。

その中でも、受け入れの計画を立て、組織的に難民に対応しているのがドイツだと言えます。ドイツは年間一〇〇万人もの難民を受け入れましたが、その難民を各州に振り分けることから始めました。

ドイツは連邦国家で、それぞれの州が議会を持ち、予算を組んでいます。そこで州の人口や経済力に合わせて、州が受け入れるべき難民の数を出し、割り振ったのです。そもそもドイツはナチス・ドイツ時代の反省から、難民対応に積極的でした。各州では難民の受け入れ数が確定すると、地元の企業が空いている倉庫や従業員アパートを提供しました。

州も難民に充てる費用をあらかじめ計上できますから、難民が来たときには住むところがあり、新たな生活が始められたということです。

しかしこのドイツも、これまで通りの数の難民を受け入れることは困難になってきています。

また、スウェーデンはもともと移民や難民に対して寛容でした。「人道大国」とも呼ばれて移民や難民に福祉も提供し、長期プログラムでスウェーデン国民として暮らせるようにしてきました。しかしこのところ、福祉財政はひっ迫し、犯罪発生率も過去に例を見ないほど高くなっています。これらは移民や難民を受け入れてきたせいだ、と主張する右派政党が勢力を伸ばしています。

## EUの建前

最終的な理想は「欧州合衆国」だ。

この理想に基づいてEUの統合は進んできました。しかし、ここには大きい国もあれば小さい国もあります。人口も違えば経済力の格差もあります。アイルランドのような小さな国にしてみれば、「欧州合衆国」が一気に進んでしまうと、自分の国がなくなってしまうのではないかという危機感を覚える人たちもでてきます。

ＥＵの旗を定め、歌を決め、さらには欧州憲法をつくってしまおうということになると、それに対する反発も生まれてきます。結果的に、統合を急ぎ過ぎると足並みが揃わないことに気づきます。現在では「欧州合衆国」という理想から一歩後退して、ＥＵ各国は様々な分野で協力しあう組織にするけれど一つの国にするわけではありません、という建前になっているのです。

二〇一六年、イギリスがＥＵからの離脱を決めたとき、フランスでもドイツでもオランダでも、あるいはオーストリアでも、「イギリスに続け。ＥＵから離脱しよう」という勢力が生まれました。ところが、イギリスがＥＵからの離脱をめぐって大混乱しているようすを見て、他の国々は、離脱をしようとすると大変なことになると分かり、離脱熱がすっかり冷めてしまっています。

例えばフランス。極右政党である国民連合のマリーヌ・ル・ペン党首は、最初はフレグジット、つまり「フランスはＥＵから離脱すべきだ」と主張していましたが、イギリスの大混乱を見て最近は「ＥＵの改革が必要だ」という言い方に変わっています。イギリスの混乱で、ＥＵ離脱の動きはすっかりおさまってしまいました。

EUの首脳にしてみれば、イギリスに対して厳しい要求をして、離脱しようとすると大変な目に遭《あ》うんだということをEU内に知らしめようとしました。離脱を決めたイギリスに対して一歩も引かないことで、EUがばらばらになるのを防いでいるという現実があるのです。

**学生からの質問**

Q アメリカやイギリスなど、自国ファーストの動きが強まっていくなかで、難民問題や環境問題など、国を越えて考えなくては解決できないようなことは、今後どうなっていくのでしょうか。

A まさにそのことを、あなたたちに考えていただきたいわけです。自国ファーストがさらに広がって行けばどんな世界になるのかを想像してみてください。世界的に考えていかなくてはならない難民問題や環境問題は、正解のない問題で、ときには自国の不利益も伴います。

「移民を受け入れましょう。難民を受け入れましょう」と一般的には言う。例えばフィンランドは、人道的立場に立って難民を大勢受け入れたわけだよね。最初のうちは「大変な人たちだから」と言って快く受け入れたけれど、難民の数が増えていくと新たな問題が起こります。フィンランドはキリスト教の国。そこにイスラム教の人たちが来て、独自の宗教行事や文化を守り続けようとすると、異質な存在として目立つようになります。そして、フィンランドの社会に溶け込もうともせず、自分たちが確立させた福祉に寄りかかっている、という声もでてきたりします。

最初は寛容な精神で受け入れても、一定程度以上になると、それに対する反発がどこでも出てくる。そもそも人間はそういうもので、そのときに「さあ、どうするのか」ということが問われてくる。それをあなたにも考えてほしいのです。

第三章

# 戦後の日米関係を総括する

## 日本はアメリカの言いなり？

アメリカがトランプ政権になって、日本の首相があまりにもアメリカにすり寄る姿が目につきます。二〇一九年、安倍首相はトランプ大統領を令和最初の国賓として、ゴルフや相撲観戦でもてなし、アメリカから購入する迎撃ミサイルシステム「イージスアショア」の設置を急いでいます。米中貿易摩擦によって中国に買われなくなったアメリカの飼料用のトウモロコシを使用の可能性がほとんどないまま日本が購入することを決め、トランプ大統領を喜ばせました（その後安倍首相は国会で、「アメリカと購入の約束や合意をした事実はない」と述べましたが）。

こんな日米トップの関係を、世界の首脳は内心軽蔑しながら冷ややかな目で見ています。カナダのトルドー首相もドイツのメルケル首相もトランプ大統領に嫌われていますが、二人とも国を代表する者として考えを率直に述べるからで、トランプ大統領の言いなりとさえ見える日本の首相は心もとなく映ります。もちろん日本はアメリカの核の傘下にあり、親日とは言えない国々に囲まれています。そうでないカナダやドイツなどのヨーロッパ諸国は、アメリカと多少の緊張関係や対立が生じても周辺国からの脅威が増すわけではないため、そのような対応ができるともいえます。
アジア太平洋戦争を戦った日本とアメリカが、どのような歴史をたどって現在の関係になったのかを見ていきましょう。

## 二度と戦争をさせない

一九四五年、日本は連合国に無条件降伏して戦争が終わります。ＧＨＱ（連合国軍総司令部）が日本を占領し、その連合国軍総司令部のトップがダグラス・マッカーサーでした。マッカーサーがアメリカ人だったから、日本はアメリカが占領したと思っている人も多いのですが、そうではありません。連合国軍が占領したわけです。厳密にいえば、中国地方と四国地方はイギリス、オーストラリア、ニュージーランド連合軍が占領しました。北海道についてはソ連のスターリンが、北半分の占領を要求していましたが、アメリカはこれを拒否しました。

同じ敗戦国でも、ドイツの東側はソ連の占領地となり、西側はアメリカ、イギリス、フランスによって分割占領されました。これが原因で、ドイツは東西に分かれてしまいました。もし、北海道の北半分の占領をソ連に許していたら、東西に線が引かれ、ドイツのように分断されたはずです。そこに「日本民主主義人民共和国」ができていたかもしれないのです。

GHQが占領下の日本について、どのような国にするかとなったとき、まず考えたのは、日本を二度と戦争をしない国にする、戦争ができない国にする、ということでした。

アジア太平洋戦争では、アメリカは日本にさんざん苦しめられました。アメリカだけでなく、イギリスもオーストラリアも日本軍の攻撃を受けてひどい目に遭っているわけです。ちなみに、日本がオーストラリアを攻撃したことを多くの日本人は知りません。オーストラリアの北西部にダーウィンという町があります。ダーウィンは日本軍の空襲を受け、大きな被害が出ました。現在でも毎年慰霊祭が行われています。

とにかく日本を二度と戦争ができないようにしようとして、GHQはまず日本軍を解体しました。日本の軍事組織を徹底的に解体し、平和憲法、つまり戦争放棄の憲法を日本に制定させました。GHQは当初、日本を軍事組織を持たない平和国家として育成していこうと考えたのです。

その次の作業が農地改革です。大地主の土地を取り上げて、これを多くの小作人に分け与えました。それによってみな自営の農業ができるようになり、戦後、日本の農業は大きく発展しました。それまで小作農民は、いくら一生懸命働いても、作物の多くは地主に取り上げられてしまいます。そうすると労働意欲が失われる。ところが、作ったものは全部自分のもので、食べても売ってもかまわないとなると、がぜん人間は労働意欲がわいてきます。結果的に日本の農業は発展。冷害による餓死者や、女性が都会へ売られていくといった悲惨な状態がなくなっていきます。

同じ民主主義の国でも、フィリピンはいまだに大きな格差があります。これはフィリピンに今も大土地所有制が残っているからです。フィリピンの政財界のトップは、大半が大地主の息子や娘です。だからこそ高いレベルの教育を受けることができて、政財界のトップに就けるわけです。そんな人たちが、自分たちの存在を否定するようなことはなかなかできないのが実情です。その点、日本は戦争に負けたことによって、強制的に農地改革をさせられました。その結果、所得格差の比較的小さい国ができたということなのです。

さらにアメリカは財閥の解体と労働組合を育てることに着手します。財閥とは、巨大な財産を持つ一族のことで、当時の財閥はあらゆる産業にまたがる、さまざまな企業の株を所有し、経営権を握っていました。アメリカは、日本が戦争に走った原因はこの財閥にあると考え、大小すべての財閥を解散させました。これにより、財閥が独占していた企業が分割され、企業同士の競争が生まれて日本経済は大きく成長していきました。

1945年2月に行われたヤルタ会談。左からチャーチル首相（イギリス）、
ルーズベルト大統領（アメリカ）、スターリン首相（ソ連）

また経済の民主化をはかるために、戦時中は解散させられていた労働組合を復活させます。一九四五年には労働組合法が制定され、翌年には一万七〇〇〇もの労働組合が結成されました。

## 資本主義のショーウインドー

ソ連とアメリカは、第二次世界大戦においてともにナチス・ドイツと戦っていました。どちらも連合国側の一員でした。終結直前のヤルタ会談では、ドイツからヨーロッパを解放した後、ヨーロッパの国々はそれぞれが自由な選挙を行い、自由な国をつくることが確認されていました。しかしソ連のスターリンは、会談の約束事を全部破ります。ソ連が占領した国においては、ソ連の言うことを聞く国にしていきます。共産党の独裁国家を次々につくっていったのです。やがてソ連に占領された国が、民主主義国家とはまるで違う国になっていくことに西側は気づきます。東西冷戦のはじまりです。

日本のすぐ北側にソ連という共産党独裁の国が迫っています。一方、中国においては共産党と国民党の内戦が続き、やがて国民党が台湾に逃げて、大陸には一九四九年、中華人民共和国が成立します。中華人民共和国が成立した途端、それまでの封建的な地主あるいは資本家たち五十万人を処刑してしまいます。こういう国ができると資本家たちはみんな殺されてしまうんだ、という恐怖心を周りの国が持つようになります。そして一九四八年には、朝鮮半島の北部に朝鮮民主主義人民共和国という極めて異質な国ができました。はたしてこのような状況下で、「二度と戦争を起こさない平和な国」が成り立つのだろうか、とアメリカは考えるようになります。

東西冷戦の中、日本の周辺に社会主義国が生まれるのを見たアメリカは、当初の方針を変えます。日本を徹底的に叩いて弱体化させるのではなく、資本主義のショーウインドーにすることにしたのでした。

中華人民共和国や朝鮮民主主義人民共和国が生まれる中で、アメリカの庇護《ひご》を受けて仲間になった日本の経済が発展すれば、他のアジア諸国は資本主義のすばらしさに気がつくはずだということです。つまり日本の経済発展をアメリカが支え、それをアジアに見せるショーウインドーにしようと考えたのでした。

例えば、当時の日本の経済力では、為替レートは一ドルが三〇〇円から三三〇円くらいが妥当だろうと言われていました。しかしアメリカは、一ドル＝三六〇円に設定しました。あえて円安水準にすることにより、貿易において日本は有利になり、輸出が伸びていくことになります。日本を民主的な資本主義国家として育成するという方針が、より強固に進められるようになったのです。

## アメリカの方向転換

一九五〇年の六月二十五日、朝鮮戦争が勃発します。これは韓国にとって完全な不意打ちでした。

朝鮮半島ではその二年前に、北には朝鮮民主主義人民共和国（北朝鮮）が、南には大韓民国（韓国）が成立し、北緯三十八度線で分断されていました。韓国には、韓国軍を育成するために軍事顧問団という形でアメリカ軍が残っていました。

この日は日曜日で、前線の韓国軍兵士の多くが週末を利用して、実家に帰っていました。さらには軍の人事異動があり、二十四日の土曜日は韓国軍とアメリカ軍の幹部が大規模なパーティーに出席していて、深夜まで酒を飲んでいたといいます。油断しきっていたということです。

そのすきを突《つ》くように、北朝鮮軍の戦車は一気に三十八度線を越えて攻め込んできました。首都ソウルはたちまち占領され、さらに北朝鮮軍は南下して、最終的には釜山《プサン》のあたりに韓国軍が追いつめられる状態なりました。あと少しで韓国が消えてなくなるところまでいったのです。釜山までが北朝鮮軍に奪われた場合、韓国の亡命政府は日本の対馬《つしま》に置くしかない、という最悪のケースを想定せざるを得ない状況でした。

危機感を覚えたのは韓国だけでなくアメリカも同様で、直《ただ》ちに大規模な支援を決めます。しかし、アメリカから兵士を送るには時間がかかります。すぐそばの日本には、日本国内の治安維持のためにアメリカ兵がいます。結局、これを送るしかない、ということになり、日本に駐留する七万五〇〇〇人のアメリカ兵が朝鮮半島に送り込まれました。

ということは、日本には軍事組織が一切なくなってしまうという事態になります。日本軍はすでに解体され、日本の治安維持にあたっていたアメリカ軍兵士はみな朝鮮半島での戦争に送られました。国内では、社会主義や共産主義の支持者が急増していました。労働組合の力も強くなり、社会主義に傾倒した政治勢力が一定の力を持つようになっていたのです。彼らが社会主義革命を起こすことをアメリカは危惧していました。さらには、アメリカ軍が日本からいなくなったことで、ソ連が北海道に攻め込んでくることも想定しなければなりません。こうした状況で、占領下の日本にアメリカ軍に代わる軍事組織が必要になったのでした。

一九五〇年、ＧＨＱは日本政府に対して「七万五〇〇〇人のNational Police Reserveの設立を認める」と通達します。日本政府にとっては寝耳に水で、どう理解していいかわかりません。要求もしていないのに認める。つまり許可すると言いながら、結局はつくれという命令です。

七万五〇〇〇人のNational Police Reserve。Policeは警察ですから、そのReserveという意味で警察予備隊と訳されました。アメリカ軍からは武器が提供され、戦車までもたらされます。どうみても軍隊なのですが、すでに憲法で戦力は持たないことになっています。そこで「これは軍隊ではない。あくまでも警察を補完する組織、警察予備隊である」という解釈になるのでした。

そこに採用された七万五〇〇〇人に対して、アメリカ軍が訓練を行います。このとき、訓練にあたったアメリカ軍将校の記録が残っていて、上官から言われた「気を付けるべき

1950年に発足した警察予備隊の演習

こと」が書かれています。それは、予備隊におけるさまざまな呼び名についてでした。

あくまでも警察予備隊であるので、軍隊と呼ばないこと。さらには、戦車も戦争のための車輌《しゃりょう》ということになるので、特別な車、つまり特車と呼ぶこと。自分たちがつくらせた組織が、自分たちの考えた憲法に抵触しないよう気を配ったことがうかがえます。

こうして軍隊ではない警察予備隊が組織され、やがて保安隊という名称を経て自衛隊に発展していくのです。

日本は憲法九条で戦力は持たないことになっています。ですから、これを戦力だと言うわけにはいきません。現在の政府は、

「自衛隊は軍隊ではない。日本の防衛のための必要最小限度の実力組織である」という言い方をしています。戦力ではなく実力だということです。

## 自衛隊の不思議な名前

自衛隊は軍隊ではないという建前ですから、そこには実にさまざまな不思議な名前が存在します。例えば陸上自衛隊の中に「普通科連隊」というものがありますが、国際的な標準組織でいうと何にあたるでしょうか。自衛隊の中で「普通」と言われてもちょっと想像できませんよね。これは、歩兵部隊です。小銃を持って徒歩で前進する部隊、これが軍隊でない組織では「普通科連隊」になるのです。

施設科というのもあります。これは工兵部隊。戦闘において川を越えて逃げる敵は、追撃が遅れるように橋を破壊します。そこに工兵部隊はたちまちのうちに新たな橋を架け、すみやかな追撃を可能にするのです。国連のＰＫＯ活動で自衛隊がカンボジアやイラクに派遣された際、部隊の中心は施設科でした。道路を整備し、橋を架ける専門集団が技術を発揮したのです。

また、「特科連隊」というものがありますが、どういう部隊かわかりますか？　特別な科目の連隊。やはり文字だけではピンときませんよね。特科連隊とはミサイル部隊のことで、この部隊の多くは北海道にあります。冷戦時代、ソ連からの攻撃に備えたため、ここに展開しているのです。

こうして、軍隊ではないという建前から、さまざまな呼び方が考え出されました。

しかしすべての物について名称を言い換えるわけにもいかず、さすがに現在は、戦車は特車ではなく、戦車と呼んでいますし、戦闘機などもそのままです。

ただし、自衛隊はあくまで専守防衛の組織ですから、自ら攻撃することはできません。そうなると、攻撃が可能な装備については、「攻撃はしません。防衛専門の装備です」と主張しなければなりません。戦闘機の中に爆撃機というものがありますが、爆撃の基本は敵地に行って爆弾を投下することです。つまり爆撃機は攻撃が可能なのですが、これには「対地支援戦闘機」という名前がついています。もし敵が日本に上陸して地上戦になった場合、地上で戦う部隊を支援するための戦闘機だといっているのです。国際標準では明らかに爆撃機なのですが、建前として日本は爆撃機を持っていないことになっています。

さらにいえば、日本は空母も持っていません。空母というのは航空母艦の略称で、これは戦闘機や爆撃機を搭載して戦場近くの海上基地となるものですから、基本的には攻撃のために用いられます。ですから日本では、たとえ航空機を乗せて運ぶようにできていても

2017年3月に就役したヘリコプター搭載護衛艦「かが」

空母という言葉は使わず、あくまで護衛艦と呼んでいるのです。

過去の国会答弁で、「日本はいずれ空母を持つことになるのか」という野党の質問に対して当時の防衛庁長官が、「敵を攻撃するためのものだから空母は持ちません」と答えました。すると、すぐに防衛庁の幹部が、「攻撃用空母は持たないんです」と引き継ぎました。「攻撃用空母は持たないということであれば、ただの空母はどうなのか」との質問には、ただ「攻撃用空母は持ちません」というばかりでした。つまり、「攻撃用ではない空母」があるとすれば持てるという含意がありました。

海上自衛隊に「かが」というヘリコプター搭載護衛艦が造られ、二〇一七年から就役しています。「かが」も建造前は空母ではなく、救援物資などをヘリコプターを使って運ぶための護衛艦であるという説明でした。ところが日本政府は方針を変え「F35Bを搭載することになった」と発表します。このF35Bはアメリカから購入を決めた新型の戦闘機です。通常の戦闘機は離着陸に滑走路が必要ですが、このF35Bは垂直離着陸型で滑走路のない「かが」に載せて運ぶことができるのです。しかも、「かが」には甲板から艦内へ、ヘリコプターを格納するためのエレベーターがあるのですが、それがF35Bにぴったりのサイズになっていました。F35Bを購入する前に造られたのに、そのエレベーターのサイズがF35Bと一致するのはなぜでしょう。政府は「偶然だ」と言っていますが。「かが」が就航したとき、中国や韓国のメディアは「日本が空母を造った」と報道しています。世界から見れば、やはりこれは空母だ、ということです。

## コラム　中国の空母

ソ連時代にウクライナで建造されていた空母がありました。名前は「ワリャーグ」。ところが完成前にソ連が崩壊し、ウクライナが所有することになりました。しかしウクライナにはこれを維持していく資金がなく、スクラップにして売ってしまいたいと考えます。空母としてではなく、あくまでもスクラップ船として。

これにマカオの企業が、海上カジノとして使いたいと手を挙げます。それならばとウクライナは「ワリャーグ」の空母としての装備をすべて取り除き、浮かぶ鉄のかたまりとして引き渡しました。するとこの「ワリャーグ」は、マカオに行く途中で突然中国の海軍基地に入港します。そして買ったはずのマカオの企業は消えてなくなります。ペーパーカンパニーでした。つまり、中国軍がウクライナの空母を手に入れるためにペーパーカンパニーをつくり、ウクライナを騙《だま》して空母を手に入れた、ということです。しかし「ワリャーグ」には何の装備もありません。そこで中国はウクライナの技術者を高い給料で雇い入れ、再び空母としてよみがえらせたのでした。中国初の空母は「遼寧《りょうねい》」と命名され、こうして空母建造のノウハウを手に入れた中国は、二隻目、三隻目の建造に着手しています。

## 日米安保条約とは

ＧＨＱによって占領されていた日本は、一九五一年のサンフランシスコ講和条約によって独立を果たします。そして同時にアメリカと日米安全保障条約（安保条約。正式には「日本国とアメリカ合衆国との間の安全保障条約」）を結びます。

日本は占領されていましたから、そこにアメリカ軍が駐留するのは当たり前のことでしたが、日本が独立した以上、アメリカ軍がそこに留まる根拠がなくなります。そこで、安保条約を結び、アメリカ軍の駐留を認めたのです。

しかしこの条約は非常に不平等なものでした。アメリカ軍は日本に駐留しますが、日本を守る義務はありませんでした。見方によれば、日本はアメリカに基地を提供しただけともとれる内容でした。しかも日本国内で政府を倒そうなどという動きがあった場合、アメリカ軍が出動して鎮圧できると書かれていました。日本の問題にアメリカが介入できる余地が残されていたのです。

この不平等を是正しようとしたのが安倍首相の祖父の岸信介《きしのぶすけ》で、一九五七年、首相に就任したばかりの岸は、安保条約改正案を国会に提出します。主な改正点は、日本が侵略さ

新安保条約に対する反対運動、60年安保闘争

れた場合、アメリカ軍の支援義務を規定することと、日本国内のアメリカ軍に部隊や装備の変更がある場合は、事前に日本側と協議する、ということでした。

安保条約をめぐる国会の審議では、当時の社会党が激しく反対したため、審議は長引きます。結局与党である自民党がとった手段は、強行採決でした。一九六〇年六月、新安保条約は成立します。

不平等をなくすための新安保条約でしたが、アメリカが加わる戦争に日本が巻き込まれるのではないか、という不安が広がり、それが強引な成立の過程とも重なって大規模な反対運動が起こりました。これが六〇年安保闘争と呼ばれるものです。日米が条約の批《ひ》准書《じゅんしょ》を交換した直後、岸は混乱の責任をとって辞任しました。

条約の内容は十年ごとに見直されることになっていますが、それはないまま現在も自動更新されています。日本とアメリカのどちらかがこの条約を破棄したいと通告すれば、その一年後には破棄されることになっていますが、いまのところそういう動きはなく、更新が続いています。

アメリカのトランプ大統領は安保条約に関して、「もし日本がどこかの国から攻撃されたら、アメリカは命をかけて日本を守るが、日本人はその様子をソニーのテレビで見ているだけだ。こんなことでいいのか」と発言しました。「何かあったらアメリカは日本を守ってやるのだから、アメリカが攻撃されたら日本もアメリカを守れ」ということで、「安保条約は不平等だ」とトランプ大統領は言ったのです。しかし、本当に不平等なのでしょうか。

確かにアメリカは日本を守る義務がある。しかし、アメリカはアメリカの都合で日本に軍事基地を置いているわけです。例えば、台湾や朝鮮半島で何かあればすぐに駆け付けられるように、アメリカ軍は日本に基地を置き、日本側はそのための土地を提供しています。さらには、アメリカ軍の駐留の経費のかなりの部分を日本側が出しているという事実があるのです。

## 思いやり予算

一九七八年ごろ、急激に円高が進みました。円高になるということはドルが安くなるということですから、日本に駐留するアメリカ軍の経費はふくらみ、アメリカの予算だけでは負担ができないような状態になります。すると当時の防衛庁長官だった金丸信《かねまるしん》は、法的な根拠がまるでないまま、「アメリカ軍の駐留経費を日本側が負担する」と言いだしました。ここからアメリカ軍の駐留経費を日本が負担するようになります。「それはどういう根拠か」、と聞かれた金丸信は、「アメリカに対する思いやりだ」と答えます。この発言から、日本が負担する経費を「思いやり予算」と呼ぶようになりました。

その予算がどれほどのものかというと、二〇一六年から二〇二〇年の五年間、日本側が負担する経費は九四六五億円。毎年の負担額は約一八九三億円。日本はこれだけの莫大な経費を負担しているのです。

例えば、どういう部分を負担しているか。以前、沖縄の嘉手納《かでな》基地を取材したことがあります。基地の中には広大なゴルフ場があります。映画館があります。そして、巨大なショッピングセンターがあります。そこで働いているのは日本人の従業員です。その大勢の日本人従業員の給料は日本側が負担しています。アメリカ軍兵士のために働いている日本人の従業員の給料は、全部日本側が負担しているのです。さらに水道光熱費はすべて日本側の負担です。アメリカ軍基地にはアメリカ兵のための宿舎があり、そこで使われる電気やガス、水道の費用もすべて日本側が負担しているのです。

するとどういうことが起こるのか。アメリカ軍兵士が休暇で本国に帰ります。沖縄の夏は暑く、再び宿舎に戻ったときには、部屋の気温が耐えがたい暑さになっていることは想像できます。そこで兵士は何をするかというと、エアコンをつけっぱなしで休暇に出かけるわけです。二週間から三週間、無人の宿舎のエアコンは動き続け、兵士が戻ってきたときにはキンキンに冷えているわけです。彼らは電気代を払う必要がなく、それは日本の税金でまかなわれている、という事実もあるのです。

トランプ大統領は、アメリカ軍の駐留経費の五割を日本が負担しているということを知らなかったようで、選挙前、インタビューでアメリカの放送局のキャスターがそのことに言及すると、驚いた表情でとっさに「なぜ五割なんだ、全部日本が出せばいいじゃないか」と言い返しました。

その後大統領になってからも「日本のためにアメリカ軍がいるんだから金をもっと払え。全額を日本が負担してもいいだろう」と発言しますが、アメリカ軍の幹部が「そうなるとアメリカ軍は日本の傭兵《ようへい》、ガードマンになってしまいます」と必死に説得していま す。

日本にいるアメリカ軍の費用をすべて日本側が負担することになれば、アメリカ軍は日本が雇っていることになります。ですから、「アメリカはアメリカの戦略において日本に基地を置いているわけですから、すべてを日本に負担をさせてはいけません」と説得したのでした。

## 日本とアメリカの「盾《たて》」と「矛《ほこ》」の関係

日本の自衛隊は専守防衛、あくまで攻められたら自分の国を守る。そして、こちらからは攻撃しない決まりになっています。他国からの攻撃で日本に被害が出た場合、アメリカ軍が報復することになっています。

つまり、相手の攻撃から日本を守る自衛隊は「盾」の役割で、反撃するアメリカ軍は「矛」の役割ということです。現在日本はミサイルの迎撃システムを配備しようとしていますが、日本が持っているのは短距離の迎撃ミサイルで、大陸まで届くような長距離ミサイルはありません。どこかの国からミサイル攻撃を受けたら、それを迎撃ミサイルで撃ち落とすのが自衛隊で、もし被害が出た場合は、そこではじめてアメリカ軍が相手を攻撃することになっています。多くの人が勘違いをしているようなのですが、日本が他国に攻められたら、すぐにアメリカ軍が駆けつけて追い払ってくれるわけではないのです。あくまでも自衛隊が守り、それでも守り切れないようならそこでようやくアメリカ軍が自衛隊を助けます、というのが日米安保条約の仕組みです。何かあればアメリカが日本を守ってくれるというのはその通りなのですが、それはまず、日本が血を流してからだ、ということです。

防衛大学校の専門家の試算では、もし日本からアメリカ軍が撤退し、それをすべて自衛隊がカバーするとなると、新たに二十二兆円から二十三兆円の予算が必要になるといわれています。つまりアメリカ軍が駐留していることによって、日本は二十二兆円ほどの負担を免れているということもできます。その一方で、沖縄は基地による相当な負担を強いられています。沖縄の人たちの、基地を減らしてほしい、できれば無くしてほしいという思いは切実です。

日本の周辺をめぐる安全保障体制の中で、日本とアメリカはどういう関係であるべきかは、つねに議論を交わさなければならない問題です。

その一方で、日本は迎撃ミサイルシステム、イージスアショアの配備を進めています。

そして、周辺国からは「空母」と呼ばれるヘリコプター搭載護衛艦「かが」を建造しました。日本が自国を守るためだと言っても、北朝鮮や韓国、中国からみれば「日本は空母を持った。そこに戦闘機を乗せるということは周辺の国をどこでも攻撃することができる能力を持った」ということになるわけです。日本を防衛するために装備を強化することが、周辺の国に脅威を与え、周辺の国がそれに対応して、また軍事力を強化する。そうすると日本側の脅威は高まり、さらに強化をはからなければならない。互いがエスカレートしていく状態も起こり得るのです。防衛がいかに難しいかが分かります。

**学生からの質問**

**Q** 日本の自衛隊は防衛のみが認められているということでしたが、どこまでが防衛で、どこからが攻撃になるのか、その定義はあるのでしょうか。

**A** いいところを突いた質問ですね。国際法においては、例えばどこかの国が日本に向けてミサイルの発射の準備を始めたとしましょう。これを日本が察知して事前に攻撃することは、防衛に入ります。相手がこちらを狙っていることが明らかであれば、先制攻撃であっても防衛の一環であるということになります。
ただし日本は、他国のどのミサイル基地であろうと、攻撃する能力を持っていません。例えば北朝鮮が日本に向かってミサイルを発射することがわかっていても、それを攻撃するミサイルを持っていませんし、自衛隊が所有する爆撃機にしても、航続距離が短く、空中給油が必要です。
防衛のための先制攻撃は認められているけれど、自衛隊にはその能力はなく、あくまで攻撃されてからの防衛になるということです。被害が出れば相手を攻撃することもできますが、攻撃する能力のない日本に代わってアメリカがすることになっています。これが自衛隊の専守防衛という考え方です。

**Q** もしアメリカ軍が日本から撤退して米軍基地がなくなった場合、他国が日本に攻め込んでくる可能性はあるのでしょうか。また、そうなったとき、徴兵制は復活するのでしょうか。

**A** もし、という仮定の話ですが、日本に届くミサイルを持っている国はありますから、何かが起こったとき、ミサイルが飛んでくるということは、可能性としてはあります。しかし、兵隊が攻め込んできて日本を占領する、というようなことはあり得ません。それはなぜかというと、「攻撃三倍の法則」というものがあるからです。戦争において相手の国を攻撃して占領するためには、相手の国が持っている兵力の三倍の兵力が必要だというのが常識になっています。守る方が圧倒的に強いのです。日本には自衛隊員が陸、海、空で二十五万人います。つまり日本を占領するにはその三倍の七十五万人の兵力が必要になります。さらに日本は海に囲まれていて、大量の兵を運ぶには船しか方法はありませんが、七十五万もの兵を運ぶ能力は世界のどの国にもありません。ですから、外国の軍隊が攻め込んできて、地上戦になることはあり得ないのです。

徴兵制に関しては憲法に違反するというのが政府の考え方です。安倍首相も同じ見解です。というのは、憲法十八条に「何人も、いかなる奴隷的拘束も受けない。又、犯罪による処罰の場合を除いては、その意に反する苦役に服させられない。」とあるからです。徴兵というのは強制的に軍隊に入れられてしまうことで、つまりそれが「意に反する苦役」にあたるという解釈です。

さらにいうと、兵器の近代化が進み、それらを扱うにはＩＴなどの専門知識が必要になっています。現代の軍隊は、精鋭のプロ集団で成り立っていると言ってもいいほどで、そこに専門知識のない一般の人が徴兵制で入っても、役には立ちません。志願兵を徹底的に訓練し、プロ集団を形成することが求められているので、世界的にも徴兵制は廃止されつつあります。ドイツでも二〇一一年に徴兵制が廃止されました。フランスでは一部で徴兵を再開しましたが、これは二〇一五年のパリの同時多発テロ以降、治安維持のための警察を補うためで、武器を持って戦場に行くわけではありません。

このような世界の状況からも、日本で徴兵制が復活する可能性は、きわめて低いと言っていいでしょう。

第四章

# 沖縄問題とは何か

## 米軍基地の七割が沖縄県に集中

沖縄県の面積は二二八一キロ平方メートルで、東京都よりほんのわずかに広いのですが、この沖縄県にあるアメリカ軍基地の面積は、日本にあるアメリカ軍基地の七〇・四パーセント。いかに沖縄県にアメリカ軍基地が集中しているかがわかります。以前は七四パーセントでした。沖縄の基地は少しずつ日本に返還されていますが、それでもこれだけの割合で存在しているのです。沖縄本島においても、その十五パーセントがアメリカ軍基地なのです。

そのきっかけは、アジア太平洋戦争の末期、沖縄が地上戦の舞台になったからです。一九四五年三月、アメリカ軍は沖縄周辺の海域に一五〇〇隻の軍艦を投入し、陸に向けて艦砲射撃を開始します。海上から雨あられと砲弾を降らせ、そこを守る日本軍をせん滅、あるいは退却させてから上陸する作戦でした。この艦砲射撃によるアメリカ軍の作戦は、太平洋の各地で日本軍を全滅させ、ついに沖縄まで迫ってきたのでした。

1945年4月、アメリカ軍の艦砲射撃。「鉄の暴風」と呼ばれた

## 地上戦の悲劇

第三章でも述べましたが、地上戦において、「攻撃三倍の法則」というものがあります。ある陣地を攻めようとするとき、その守備側の三倍の人員が必要になる。三倍いなければ攻め落とすことはできない、というものです。

このとき沖縄を守っていた日本軍は十一万六〇〇〇人。ここには沖縄で集められた地元の防衛部隊や学徒兵も含まれています。これに対してアメリカ軍は四十五万八〇〇〇人を動員したのでした。少なくとも三十五万人いなければ沖縄を占領することはできないという戦略に基づいた作戦で、

「アイスバーグ（氷山）作戦」と名づけられました。絶え間なく空から降ってくる砲弾。沖縄の人はこれを「鉄の暴風」と呼んだのでした。

この沖縄の地上戦は、住民をアメリカの攻撃に巻き込んだだけでなく、さまざまな悲劇を生みました。沖縄本島の西側にある慶良間《けらま》諸島では、住民六〇〇人が集団自決に追い込まれました。もしアメリカ軍に降伏した場合、男子は拷問を受け女子は強姦され、いずれも虐殺されると日本軍から教えられていました。そうなるくらいなら、自殺しろということです。住民がアメリカ軍に捕まってしまえば、日本軍がどのような装備でどのあたりにいるかなど、その様子をしゃべってしまうかもしれないとおそれ、住民を犠牲にしたのです。誰一人生き残らないように「集団自決」が強要されたのです。

また十五歳以上の女子学生は看護兵として動員されました。沖縄師範学校女子部と沖縄県立第一高等女学校の二百二十二人の女子生徒は陸軍病院に集められ、「ひめゆり学徒隊」と名づけられました。アメリカ軍の攻撃によって病院は破壊され、洞窟につくられた仮設の病室で彼女たちは負傷兵の看護にあたりましたが、ここも艦砲射撃に合い、ほとんどの人が犠牲になりました。

追い詰められた日本軍による、さらなる悲劇もありました。洞窟に潜んでいた住民を自分たちが隠れるために追い出し、その住民が艦砲射撃によって死亡する。住民と一緒に隠れていた洞窟で幼児が泣き出すと、アメリカ兵に所在が判明するのを恐れて、幼児の殺害を親に命じる。アメリカ軍に投降しようとする日本兵や住民を背後から射殺する。こういうことが沖縄各地で起こったのでした。

作家の司馬遼太郎は『街道をゆく6　沖縄・先島への道』の「ホテルの食堂」という文章の中でこう書いています。「軍隊というものは本来、つまり本質としても機能としても、自国の住民を守るものではない、ということである。軍隊は軍隊そのものを守る」。追ってくる敵を戦車で迎撃するために近づこうとすると、その道を逃げる住民がふさいでいる。戦車の進行を住民が妨げている。そういう場合どうすればいいかと司馬が上官にたずねたところ、「住民を轢き殺して行けばいい」という言葉に衝撃を受けたといいます。

沖縄にある天然の洞窟に日本兵が逃げ込むと、アメリカ軍は火炎放射器で焼きつくしました。こうしておよそ三カ月、一方的な戦いが続いたのです。

そして六月二十三日、沖縄守備隊の牛島満《うしじまみつる》司令官は沖縄本島南端の摩文仁《まぶに》で自決し、日本軍の組織的な抵抗は終わりました。日本の終戦は八月十五日ですが、沖縄にとっては六月二十三日が終戦の日なのです。

兵士以外の犠牲者の名前も刻まれている「平和の礎」

## 収容所と基地

沖縄はすべてアメリカに占領され、住民はアメリカがつくった十六カ所の収容所に入れられました。このとき沖縄の人たちは、アメリカ兵に捕まれば凌辱され殺されてしまうという日本軍の教えがあったことで、たいへんな恐怖を抱いていました。ところが実際に収容所に入ると、食料を与えられ、傷病者は手当てを受けます。拷問や強姦どころか、手厚い保護を受け、日本軍に騙されていたことを知るのでした。

住民を犠牲にした日本軍とは対照的に、アメリカ軍は上陸作戦以前から非戦闘員、つまり住民の収容を想定していて、収容所に必要な食料や医療品を準備していました。住民との意思疎通を図《はか》るための通訳も用意され、その収容にあたった人員は五〇〇〇人ともいわれています。

糸満《いとまん》市摩文仁の平和祈念公園に「平和の礎《いしじ》」というものがあります。「礎」とは基礎という意味。平和を願って一九九五年六月に建設されたもので、そこには沖縄戦で犠牲になったすべての人の名前が刻まれています。日米両軍の兵士、地元の防衛隊、住民、在留していた外国人など、およそ二十四万人の犠牲者の名前があり、現在も沖縄戦で犠牲になった人が判明すれば、名前が追加されています。

ちなみにアメリカのワシントンD.C.には、「ベトナム戦争の犠牲者の碑」というものがあります。ベトナム戦争で戦死したアメリカ兵すべての名前が刻まれた、長い壁のような慰霊碑です。その数五万人以上。全米から毎日多くの人が訪れています。しかしそこには、ベトナム兵やベトナムの住民の名前はありません。

敵味方関係なく、その戦いの犠牲になったすべての人の名前を刻む「平和の礎」は、沖縄的であり日本的な姿勢だと思います。

一方、沖縄の人たちが収容所で過ごしている間、アメリカ軍がその外でしていたのは、日本本土への攻撃準備。そのための基地の建設を急いでいました。基地建設に邪魔な建物も農地もすべてブルドーザーで破壊され更地《さらち》になりました。そうして確保した広大な土地の上に基地がつくられていったのです。アメリカ軍は、必要な土地を確保した上で、残りの土地は住民に返す、という方法をとりました。収容所から解放された住民の大半が、家も畑も失っていました。基地に土地を奪われた住民は、アメリカ軍に指定された別の場所に移るしかありませんでした。

つまり、一九四五年の六月の段階で、アメリカは日本本土への上陸作戦を行うために、その準備として沖縄に広大な基地をつくったのです。当時、アメリカは沖縄を占領した後、日本の本土を攻撃するときに、まず沖縄から爆撃機を飛ばして空襲をかけ、九州南部と千葉県の九十九里浜に上陸するという計画を立てていたのでした。

しかし、広島と長崎に原子爆弾が投下され、八月十五日に日本は降伏します。結局沖縄につくられた基地は、使われないままでした。

にもかかわらず、アメリカは沖縄の基地を手放そうとしませんでした。台湾や朝鮮半島の安全保障が理由でした。東西冷戦の緊張が高まると、沖縄はアメリカの太平洋におけるキーストーン（要石）と位置付けられ、沖縄の米軍基地は拡大を続けたのでした。

一九五〇年、占領下の沖縄に琉球列島アメリカ民政府が設置されます。アメリカ軍の直接統治に代わるというものでしたが、民政長官はアメリカの極東軍総司令官が兼任し、副長官も沖縄の軍司令官でした。

一九五一年、サンフランシスコ講和条約が結ばれて日本は独立を果たしますが、沖縄はそのままアメリカが占領を続けることになりました。一九五三年、アメリカはさらに基地の拡張をはかるために「土地収用令」を出します。地主から土地を強制的に収用する契約ができるというもので、拒否する者は銃剣で脅され、ときには逮捕されました。

さらにアメリカは、強制的に契約させた土地の地代を、二〇年間一括で支払うと言い始めます。これは「永代借地権」を与えるようなもので、住民たちは「永久に土地を奪われる」と感じました。各地で激しい抗議活動が行われるようになったのです。

一九五二年四月、アメリカの支配下で沖縄の限定的自治権を認めるという、琉球政府が発足します。行政の長は主席で、議会に相当する立法府と裁判所が置かれますが、あくまでアメリカに従う存在でしかありませんでした。一九五七年にはアメリカの最高責任者として高等弁務官が置かれ、主席はこの高等弁務官が任命する仕組みになっています。こうしてアメリカに支配された沖縄は、たちまち「アメリカ」へと変わります。通貨はドル。自動車は右側通行。公用語は英語になりました。独立した日本の一部のはずなのにアメリカに支配され、沖縄に行くにはパスポートが必要でしたし、沖縄から本土に渡るにも特別なビザが必要だったのです。

## 復帰運動

アメリカ軍基地の周辺では、訓練中の軍用機の墜落事故やアメリカ兵による犯罪があとをたたず、さらには自治も制限されるなかで、日本に復帰したいという運動が始まり、一九六〇年に「祖国復帰協議会」（復帰協）が結成されます。この運動のシンボルは日の丸でした。日の丸が日本のシンボルであり、我われも日の丸を掲げて日本に戻りたい。復帰協は沖縄の日本復帰運動の中心的役割を果たします。しかし、アメリカ軍は、沖縄を手放そうとしませんでした。

というのも一九六五年からはベトナム戦争が激化し、アメリカ軍は北ベトナムに対する空爆を始めるようになったからです。北ベトナムを空爆するためには、南ベトナムのアメリカ軍基地からだけでなく、沖縄の嘉手納基地からの爆撃機の出撃を考えます。嘉手納基地は空軍の基地です。ここからB－52という巨大な爆撃機が大量の爆弾を積んで北ベトナムを空爆し、そしてまた沖縄に戻ってくることになりました。沖縄がベトナム戦争に組み込まれたのです。

このような状況で、沖縄の人たちの祖国復帰運動はさらに高まり、自治権を要求する声

1970年12月、コザの住民の怒りに火がついた、コザ騒動

も強まります。こうした沖縄の世論に押される形で、アメリカはついに琉球政府の行政主席を住民の選挙で選ぶ、公選制度を取り入れました。一九六八年十一月、沖縄主席選挙が行われ、投票率は九〇パーセントに達しました。沖縄の人たちが自分たちの代表を自分たちで選びたいという思いが、いかに強かったかが分かります。初代の公選主席に選ばれたのが屋良《やら》朝苗《ちょうびょう》でした。高校の校長だった時代から祖国復帰運動に取り組み、沖縄の無条件全面返還を求め続けた人でした。

一九七〇年には、コザ暴動と呼ばれる事件が起こります。コザは現在の沖縄市です。ここでアメリカ兵の車が米軍基地で働く日本人男性をはねました。MP（軍警察）が現場検証をはじめると、周囲の住民が集まります。

実はこの二日前、女性をはねて死亡させたアメリカ兵が軍事法廷で無罪を言い渡されていたのです。集まった住民が、また同じことになるのでは、と見守っていると、そのすぐそばで別のアメリカ兵が事故を起こします。これが住民の怒りを呼び、おびえたMPは威嚇のために銃を発射。集まった住民の数はたちまち五〇〇〇人ほどに膨れ上がり、暴動に発展しました。あたりに停められていたアメリカ兵の車はひっくり返され、八十二台の自動車が放火されます。住民の一部は嘉手納基地のゲートまで押しかけ、実弾を装塡した銃を構えるアメリカ兵と対峙します。アメリカ軍と沖縄住民の双方に多くの負傷者を出したこの事件が「コザ暴動」です。これに日本政府とアメリカ軍は衝撃を受けました。アメリカ軍も周辺住民と敵対していては基地を維持することができないと考えるようになったのです。

一九六四年に首相に就任した佐藤栄作《さとうえいさく》は、「沖縄の祖国復帰が実現しない限り、日本の戦後は終わらない」と明言し、沖縄からだけでなく日本政府からも沖縄の日本復帰への動きが始まりました。一九六八年に沖縄返還に関する日米協議が始まり、翌年の佐藤栄作とニクソン大統領との会談において、一九七二年五月十五日の返還が決定されたのでした。

返還に際して、佐藤のアメリカへの要求は「核抜き本土並み」というものでした。さかのぼる一九六七年、佐藤首相は日本の核兵器の扱いについて、「核兵器を持たず、作らず、持ち込ませず」という非核三原則を明らかにし、これは国会でも決議されていました。つまり、沖縄返還にあたって、沖縄に核兵器があってはならないということでした。

しかし当時の沖縄にはアメリカ軍の核ミサイル基地があり、大陸ににらみをきかせていました。佐藤首相は返還にあたり、この核ミサイル基地を撤去するようにアメリカに申し入れます。結局日米は沖縄の核兵器を撤去することで合意し、日本政府は「核抜き本土並み」と表現し、「核兵器がないという点において、沖縄は本土並みである」と言ったのでした。しかし、日米の沖縄返還協定には核兵器の撤去は明記されていませんでした。書かれていたのは、「日本政府の政策に背馳《はいち》しないよう実施」というもので、これが非核三原則を尊重する、つまり核兵器は撤去すると解釈したのでした。さらには、日米安保条約において、アメリカが核を日本に持ち込もうとするとき、事前に日本側と協議することになっていますが、ここには「米国政府の立場を害することなく」とあり、その事前協議で日本が拒否することはできないのでは、ともとれる内容でした。

結局日本政府は、核兵器撤去費用などを含め、三億二〇〇〇万ドルをアメリカに支払いました。「非核三原則」をうち出したことと沖縄返還の功績により、一九七四年、佐藤はノーベル平和賞を受賞します。

## 密約があった

沖縄返還協定の文面から、アメリカが核の持ち込みを事前協議で申し入れたとしても、日本はそれを認めるのではないかという批判が上がりましたが、政府は否定し、あくまでもそういう内容ではないと言い張ります。あくまでも「非核三原則」は尊重され、守られるというのです。

ところが、沖縄返還の交渉にあたった実務担当者の若泉敬《わかいずみけい》元京都産業大学教授が、著書の中で、佐藤とニクソンの間で「密約」があったことを暴露します。一九九四年のことでした。その密約の内容は、アメリカは沖縄から一旦核兵器を持ち出すが、アメリカの都合で再び持ち込む必要があったら、安保条約に定められている通り、事前に協議し、申し入れる。ただしその場合、日本はこれを拒否しない、というものでした。また、その密約には、返還された際の土地の原状回復費用を日本が負担するといった内容もありました。

佐藤内閣としては「核兵器を撤去することに成功しました。もう核兵器はないんですよ」と言ったのですが、実際には、アメリカとの間で、いつでも核兵器を持ち込んでもいいですよという密約を結んでいたのです。

この実務担当者の暴露に関して、日本政府は真っ向から否定しています。「密約」の証拠はなく、記録も存在しないということでした。その後も政府は「密約」を否定し続けますが、自民党から民主党に政権が交代して初めて「密約」があったことを二〇一〇年に認めました。しかし、外務省にこれに関する文書はありません。

この密約を裏付けたのが、アメリカの公文書館の資料でした。アメリカにはワシントンD.C.とメリーランドに国立の公文書館があり、さまざまな文書が管理されています。その機密の重要性によって、二十五年後、五十年、あるいは七十五年後に公表されることが義務付けられています。そこで保管されていた佐藤栄作首相とニクソン大統領の密約に関する文書が期限を迎え、公開されたのでした。

## 公文書の扱い

日本では、権力者にとって都合の悪いことや、後に知られてはまずいことがあると、その証拠になる文書は大半が処分されてしまいます。海外では後になっても検証ができるように、さまざまな文書がしっかり残されていますが、日本では、都合の悪いことは焼き捨てる。こういう情けない状況があります。

この体質の典型的な出来事が、終戦直後にありました。一九四五年八月十五日、日本は連合国に対して無条件降伏しました。その翌日の十六日、東京上空を飛んでいたアメリカ軍の偵察機が、あちこちからもうもうと立ち上る煙を発見します。その時点で空襲はなく、火が上がる理由はないのに、そこらじゅうに煙が見えたのです。

その正体は、役所に保管されていた文書が一斉に燃やされていたものでした。日本中で組織的に、ありとあらゆる戦争関係の公文書を焼き捨てるということをしたのです。霞が関でも全国の県庁でも、保管している書類を全部焼き捨てる。つまり、戦争犯罪人（戦犯）として問われることを免れるために、証拠になりそうな書類を全部焼き捨ててしまったというわけです。そのときに、公文書は焼き捨てるべきではないという人がいて、書類を盗み出し、家に密《ひそ》かに保管していたものが後年見つかることもありますが、ごくわずかでした。

例えば韓国の従軍慰安婦問題に関しても、公文書は残されていません。戦争中の慰安婦の多くは日本人でしたが、朝鮮半島出身の慰安婦もいました。親に売られて慰安婦になった人がいる一方で、強制的に軍によって連れ去られた人がいた可能性もあります。安倍政権は「調査したところ、朝鮮半島出身の女性たちを慰安婦として日本軍が直接関与して慰安婦にした証拠はありません」と発表しました。そう、証拠はない。そういう公文書は、すべて焼き捨ててしまったのかもしれないのですが。

一九四二年、日本がインドネシアを占領したとき、インドネシアはオランダの植民地でした。このときに日本軍はオランダ人女性を組織的に慰安婦にしていました。この証拠になる文書がインドネシアに残っていたため、日本政府はオランダに正式に謝罪をし、慰安婦にされた人たちに損害賠償金を支払っています。日本軍の直接の関与を示す書類があったので、事実を認めないわけにはいかなかったのです。一方の朝鮮半島出身者については、書類がないから証拠がない。これは、胸を張って言えることなのでしょうか。こういうことは国内の問題に関してもしばしば起こっていることで、民主主義の根幹にかかわるような甘い体質が、依然としてあるということです。

アメリカでは、すぐに公開すれば政治的に支障が出ると判断された場合は、最大七十五年まで、文書を秘密にすることができます。しかし、どんなものでも七十五年後には公開されます。つまり、七十五年も経てば、当時の関係者たちはみんないなくなり、関係者が存在しないから公開しても問題はないだろうとの判断から、七十五年という期限が設定されているわけです。しかし一方で、政治や外交、行政に携わる人にとってみれば、いずれにせよ七十五年後には自分がしたことがすべてオープンになる。つまり、歴史的に自分のしたことが、断罪される可能性があるのです。自分は死んでいるかもしれないけれど、現役時代にひどいことをしたという事実が歴史に残るとなると、人は「さあ、自分はどうあるべきか」と考えるはずです。公文書がきちんと残されるということは、権力者の無謀な行動の抑止にもなっているのです。

## 返還後の沖縄

沖縄返還といわれますが、正式には「施政権返還」でした。つまり沖縄の潜在主権は日本に認められていたのですが、政治はアメリカが行うというものだったのです。

一九七二年五月十五日、午前〇時。沖縄県の役所や停泊中の船から一斉にサイレンや汽笛が鳴らされました。沖縄は日本に復帰したのでした。

日本に返還された以上、沖縄で使用される通貨は円にしなくてはなりません。ドルは、円に交換されることになります。

戦後、アメリカの政策によって、一ドルは三六〇円に固定されていました。ところが沖縄返還直前の一九七一年に、ニクソン大統領がドルの防衛と景気刺激対策を目的に、ドルと金の交換を禁止する発表をします。ニクソン・ショックと呼ばれるもので、世界経済が混乱しました。それにともなって円高ドル安になり、一ドル三〇八円になっていました。

こうなると沖縄の人たちが持っている一ドルは、三六〇円から三〇八円になってしまいます。つまり、貯金も資産も激減することになります。そこで、これに対応するために、一九七一年一〇月、日本政府は沖縄県内の金融機関を閉鎖し、沖縄県民が持っているドル紙幣にスタンプを押しました。このスタンプ印のあるものだけを三六〇円のレートで円に交換したのでした。これは、沖縄にいる外国人、主にアメリカ兵がドルを高く交換するのを防ぐためでした。

さらには交通規則の問題がありました。沖縄ではアメリカに倣《なら》って自動車は右側通行でした。国際ルールでは、一つの国で二種類の交通法規を持つことはできないので、左側通行にしなければなりません。ただ、変更するには信号や標識を変える必要があり、混乱を避けるために五年後の実施になりました。

これには思わぬ影響がありました。自動車を左側通行にすればいいというものではないのです。バスは乗り降りするドアを反対にしなければなりませんし、自動車も右ハンドルのものに変えなければなりませんでした。道路の右側にあったために繁盛していた店が、左側通行になったせいで倒産する事態まで起こりました。

## コラム　三六〇円時代の留学

ちょうど私が大学生だったとき、一ドルは三六〇円でした。現在は一ドルが一〇五円から一〇八円くらい。およそ三倍の価値の違いです、そして当時は、ドルの持ち出しが五〇〇ドルに制限されていました。ドルを大量に持ち出せば、国内のドルが不足してしまうという理由からです。その五〇〇ドルは、円にすれば一八万円。一般学生がもし留学しようとしても、とうてい生活することはできません。優秀な学生は奨学金などによって留学することはできましたが、それ以外はとてつもなく裕福な家の子弟でなければ、留学や海外旅行さえ夢のまた夢だったのです。それでもいつか、一生に一度でいいから海外に行ってみたい、というのが学生の頃の私の夢でした。

## 日米地位協定

こうして沖縄は日本に返ってきましたが、沖縄の人たちの苦労は、それ以降も続いています。その大きな理由に、日米地位協定があります。これは日米安保条約に基づいて日本にいるアメリカ軍の兵士たちには特別な地位を与えるというもので、一九六〇年に締結されています。

例えばアメリカ軍兵士は日本に来るときに直接アメリカ軍の輸送機や軍艦などで基地に入り、そのまま基地から出ていきます。つまり一般の外国人と違い、成田空港や羽田空港などから入国し、パスポートを見せて入国審査を受ける必要がないのです。直接基地に飛んでくれれば、そのまま出ることもできます。

日本で自動車を運転する際、日本の運転免許証は必要ありません。もしアメリカ軍の兵士が自動車を運転して事故を起こした場合、日本の警察が「免許証を見せろ」と言えばアメリカ兵は軍の証明書を見せればいいわけです。だから、パスポートを持っている必要はないのです。さらにアメリカ軍の車両が日本の高速道路を通る場合は、すべて無料です。このような、さまざまな優遇的な地位が与えられているのです。

中でも問題になっているのが、日本の警察はアメリカ軍兵士を簡単には逮捕できないということです。アメリカ軍兵士がプライベートな時間に犯罪を起こし、それが現行犯であれば日本の警察は逮捕することができます。しかし、軍としての行動をしているときに事故などが起きても、日本の警察は手を出すことができません。あるいは事件を起こしても、その犯人がアメリカ軍基地に逃げ込んでしまえば、日本の警察は手が出せない。アメリカに身柄の引き渡しを要請することになります。これが日米地位協定というものです。

これによって沖縄ではさまざまな問題が起きます。とりわけ衝撃だったのは一九九五年の少女暴行事件です。夏休みが終わって九月に入ったばかり、小学校六年生の女の子が新学期用の文房具を買うために自宅を出ます。そこに通りがかったのが三人のアメリカ軍兵士でした。彼らはその小学生の女の子を車に連れ込み、三人で強姦したという事件がありました。少女暴行事件と日本のメディアは曖昧な言い方をしていますが、暴行といっても殴られたわけではありません。実際はその女の子は、そういう目に遭ったのです。

その後、兵士たちは女の子を置き去りにして基地に帰ります。しかし車がレンタカーだったため、目撃者の証言でレンタカーの借り主が判明します。沖縄県の警察は、米軍兵士を特定したのです。ところが、その兵士はアメリカ軍基地の中に逃げ込んでいる。沖縄県警がアメリカ軍に兵士の引き渡しを要求しても、アメリカ軍側は日米地位協定を盾に兵士を引き渡そうとしない。これが大きな問題になりました。兵士の卑劣な犯罪は明白であるにもかかわらず、引き渡そうとしないアメリカ軍とそれを許している日米地位協定に、世論の怒りは沸騰します。

最終的には警察が兵士三人を任意で呼び出し、弁護士付き添いのもとで、任意の捜査をすることになります。地位協定のもとでは、犯人が基地に逃げ込んだ場合は逮捕できません。しかし、捜査の結果、裁判に持ち込めれば、身柄の拘束ができることになっています。沖縄県警は三人を毎日任意で呼び出して、弁護士立ち会いのもとで取り調べをし、夜になったらまた基地に送り返すということを何日も繰り返し、なんとか犯罪事実を固めて三人を起訴しました。起訴した段階で三人はようやく日本側に引き渡されたのです。

しかしながら、事件の悲惨さと日米地位協定は消えてなくなったわけではなく、これを機にますます米軍基地の存在に反対する運動は盛り上がっていくことになります。

## 普天間基地の移設

宜野湾《ぎのわん》市にあるアメリカ軍海兵隊の普天間《ふてんま》基地は市街地の中心にあります。「世界で一番危険な飛行場」とも呼ばれ、基地の内外で幾度となく軍用機の墜落事故が起こっています。騒音問題や兵士による犯罪も深刻になっていて、住民の反対の声を無視できなくなった日米両政府は、普天間基地の返還交渉を始めます。

一九九六年、橋本龍太郎《はしもとりゅうたろう》首相は、日米両国政府は五年から七年以内に普天間基地を返還することに合意した、と発表します。しかしこれには条件があり、沖縄県内にヘリポー

宜野湾市普天間飛行場と名護市辺野古の位置

トを含む代替施設を建設することが求められていました。

その結果、名護《なご》市にあるキャンプ・シュワブの辺野古《へのこ》沖が候補地として挙がり、一九九八年の名護市長選挙で移設容認派の候補が当選したことで、市も県も辺野古への移設を認めたのでした。しかし二〇〇九年、鳩山由紀夫《はとやまゆきお》内閣はこの移設に関し、県外あるいは国外の案も含めて再検討すると発表。沖縄県民は大いに期待を寄せます。鳩山内閣はアメリカと交渉をしますが、いったんは地元住民まで容認した移設案をアメリカ側が再検討するはずはありません。最終的には、辺野古への移設に後戻り。県民の政府への不信感は募っていくことになりました。

その後も辺野古への移設反対運動は続いていますが、基地建設のための埋め立ては着々と進められています。

そもそも沖縄は、かつては琉球王国であり独立国家でした。それを薩摩藩が植民地化し、明治維新で沖縄県として日本に編入されました。そして、アジア太平洋戦争においては、日本で唯一の地上戦の戦場となり、多くの犠牲者を出しました。さらにその結果、沖縄にアメリカ軍基地が集中することになりました。

日米安保条約があることで日本の安全はアメリカ軍に守られているともいえますが、その関係を維持するために最大の負担を負っているのが沖縄の人たちだということです。日本の安全保障に関するさまざまな責任や負担を押しつけられた沖縄に対して、沖縄県民以外の日本人が無関心でいていいはずはないのです。

**学生からの質問**

Q アメリカ軍に占領されていた沖縄では、公用語は英語になりましたが、学校教育は日本語で行われていたと聞きました。海外の植民地では、強制的に占領した側の言葉を教育することもあったのに、なぜ沖縄ではそれが行われなかったのでしょうか。

A

いわゆる語学教育ですね。これは国によって実にいろいろです。例えばドイツやフランスは、ある地域を自分の領土にすると、自国語を徹底的にたたき込みました。母語を捨てさせるのです。つまりそこには、占領した土地の人たちを自国の国民として育てようという意図があります。

一方でアメリカには、沖縄の人たちをアメリカ人にするつもりはありませんでした。アメリカの都合で公用語は英語にするけれど、だからといって沖縄の人たちを良きアメリカ人に育てようという発想はなかったのです。「日本語でしゃべっていていいよ。あなたたちは、アメリカの植民地の日本人なんだから」という位置付けだったわけです。

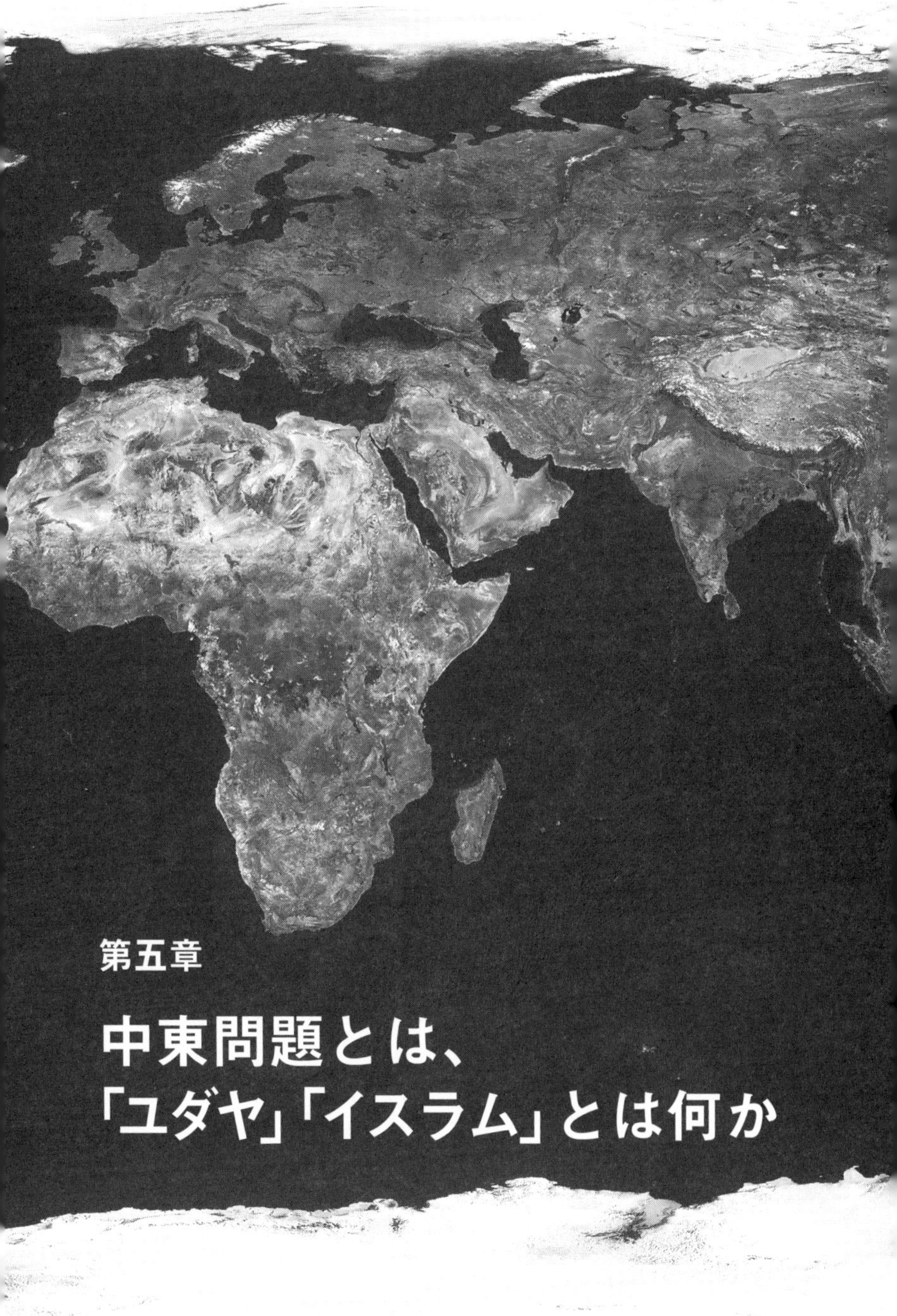

## 第五章

# 中東問題とは、「ユダヤ」「イスラム」とは何か

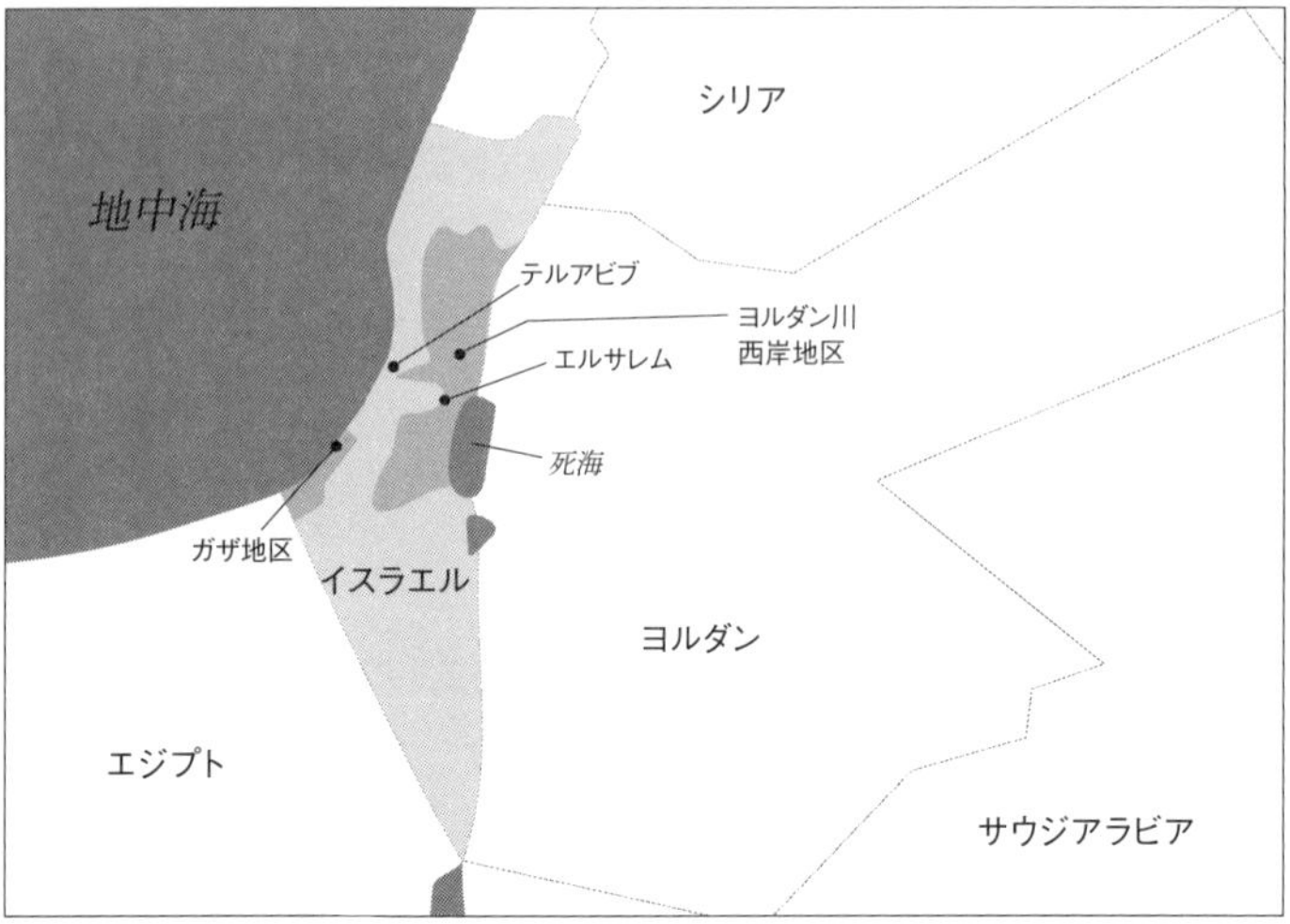


イスラエルとパレスチナ自治区（ヨルダン川西岸地区、ガザ地区）

## 揺れ続ける中東情勢

中東には産油国が多く、中東情勢の変化は世界経済に大きな影響を及ぼします。その中東の時事問題を理解するためには、人種と宗教、そして少し前の歴史を知ることが必要です。

現在の中東問題の多くは、一九四八年、パレスチナにユダヤ人の国「イスラエル」が建国されたことから始まったといっても過言ではありません。

ローマ帝国がユダヤ人国家を滅ぼし、その土地に住めなくなったユダヤ人たちはヨーロッパ中に離散します。そして、たどり着いた先でさまざまな差別を受けます。さらに第二次世界大戦中には、ナチス・ドイツによって六〇〇万もの命が奪われることになりました。戦後、祖国に戻りたいという運動がユダヤ人の間で起こり、それを欧米諸国が支援するかたちでイスラエルという国ができたのでした。

しかしそのパレスチナにはすでにアラブ人が住んでいて、ここから対立が始まることになりました。

## パレスチナを追われたユダヤ人

そもそもなぜユダヤ人は差別されてきたのか。これは『新約聖書』の『マタイによる福音書』に根拠があります。『新約聖書』は大きく分けて四つの福音書がありますが、その中の『マタイによる福音書』にこのように書かれています。

イエスがユダヤ教の改革運動をしたことによってにらまれ、犯罪者としてローマ帝国に引き渡されます。そして死刑判決を受け、ゴルゴタの丘に連れていかれて十字架に掛けられます。このとき、処刑を取り仕切っていたローマ帝国のピラトという総督は、実はイエスのことを尊敬していたとされます。イエスに対して敬意を持っていましたが、死刑判決になったから処刑しなければならない。刑場に集まったユダヤ人たちは、「イエスを殺せ、殺せ」と声を上げています。その群衆に向かってピラトは、「本当にこのイエスを殺してもいいのか」と問い掛けたところ、「とにかくイエスを殺せ。その血の報いがわが子孫に及んでも構わない」という声が返ってきました。

他の福音書にこの場面はありませんが、マタイによる福音書には、このような記述があります。

やがてローマ帝国によってユダヤ人国家は滅ぼされ、ローマ帝国は、その土地、つまりパレスチナにユダヤ人が住み続けることを禁じます。ユダヤ人たちは世界中に散らばっていくことになります。これをディアスポラ（大離散）といいます。

ユダヤ人はイエスを殺した。そして、その報《むく》いは子孫に及んでも構わないといった。それがマタイによる福音書にある。このことが、ユダヤ人迫害の始まりであり、根拠になっていたのです。

## さらなる苦難

ユダヤ人たちはヨーロッパのどこにおいても差別を受けることになります。その一つが就職です。ユダヤ人はヨーロッパのキリスト教社会において、望む職業に就《つ》くことはできませんでした。そうなると、できることはみんなが嫌がる仕事、例えば金貸しでした。当時お金にかかわるのは卑しいことだとされ、嫌われていました。それを職業にするしかないユダヤ人たちは生きのびるために必死で働き、やがて成功する者も出てきます。誰もが嫌悪する仕事で財をなしたユダヤ人が出てくると、周囲のキリスト教徒はますます彼らに反感をおぼえ、差別は激しくなります。

シェイクスピアの戯曲の中に『ヴェニスの商人』という作品があります。この中にでてくる業突《ごうつ》く張《ば》りの、とにかく金もうけさえできればいいという商人がユダヤ人です。つまり、シェイクスピアもユダヤ人に対する差別意識が強い時代に生きていたということが分かります。

さらには、ユダヤ人は土地の所有が禁じられていました。ですから、財産を土地に代えて子孫に残すことができない。いくらお金を稼いでも、現金を渡すしか方法はありませんでした。そこでユダヤ人が考えたのが、もう一つの財産を子孫に残す方法。それが教育でした。教育は決して盗まれることのない財産です。子供にしっかりした教育を受けさせ、生きのびるための財産として残したのでした。

第一次世界大戦で敗戦国となったドイツは、特にフランスから膨大な賠償金を課せられます。ドイツ経済は大混乱に陥り、国民は貧困にあえぐことになります。そこに登場したのがヒトラーでした。独裁者というものは必ず他に敵をつくり、その敵を攻撃することによって自分の地位や権威を高めていきます。ヒトラーが敵として攻撃したのがユダヤ人でした。何の根拠もありませんでしたが、「このドイツの苦境はユダヤ人のせいだ！　ユダヤ人のために、我われはこんなひどい目にあっているんだ！」というわけです。国民は、やがてこのヒトラーに熱狂するのでした。

アメリカにおいても、ユダヤ人はヨーロッパと同様の差別を受けます。アメリカでも同じように、仕事として成立したのは金融でした。ここでは、彼らの努力とアメリカの経済成長が重なり、大きな成功をおさめます。リーマン・ブラザーズ、ゴールドマン・サックスという企業名を聞いたことがあると思いますが、この「マン」と付くのはユダヤ人の特徴的な名前で、どちらもユダヤ人資本の金融企業です。

しかし、ユダヤ人のすべてが金融業で成功するわけではありません。アメリカで差別を受けた多くのユダヤ人は西海岸へと逃れていきました。そして、金融以外の新たな仕事に参入します。既存の仕事には差別によって就くことができませんが、新しい仕事なら可能性があります。それが映画産業でした。

ハリウッドの映画界に、驚くほどユダヤ人が多いのはそのためです。脚本家、プロデューサー、マネージャーなど、さまざまな映画関連の職種でユダヤ人が働いています。ハリウッ

エルサレムの「嘆きの壁」の前で祈りをささげるユダヤ教徒

ド映画には、ときにユダヤ人をからかっているようなシーンがありますが、制作しているのがユダヤ人だから許されるというわけです。

## ユダヤ人とは

では、いったいユダヤ教、キリスト教、そしてイスラム教というのは、どういう関係になっているのでしょうか。

この三つの宗教は、いずれも神様は同じです。同じ神様を信じています。「この世界をお創りになった唯一絶対の神様がいる。そして、世界の始まりがあれば、必ず世界の終わりがある」。これが一神教の基本的な考え方です。

ユダヤ人のヘブライ語で神様のことをヤハウェといいます。キリスト教でもヤハウェという言い方をします。英語だとゴッド、そして、アラビア語だとアッラーです。

ときどき「イスラム教徒はアッラーという神様を信じている」という言い方を耳にしますが、これは間違い。単にアラビア語で神様と言っているに過ぎないのです。例えばエジプトにはコプト教というキリスト教の宗派があります。イエスが十字架に掛けられて、その後、イエスに付き従ってきた人たちが迫害されます。その一部は地中海を渡ってエジプトに逃げ、エジプトで信者を増やしていく。この流れをくむのがエジプトのコプト教です。コプト教はキリスト教ですが、彼らはエジプト人。もちろんお祈りはアラビア語で、神様をアッラーと呼んでいます。

ユダヤ教においては神様から与えられた聖書があり、その聖書にはそもそも世界がどうやってつくられたかが書かれています。いわゆる聖書の中の創世記に当たるところです。

世界はどうやってつくられたか。「世界は闇に包まれていた。神様が『光あれ』と言ったことによって世界は光と闇に分かれた。こうして昼と夜が生まれた。そして、神様は六日間かけてこの世界をお創りになり、七日目に休息を取られた」という記述があります。キリスト教でいう旧約聖書、ユダヤ教における聖書の冒頭にこう書かれているため、ここから七日間が一週間、というのが生まれるわけです。日本も、明治維新以降、欧米からのさまざまな文化とともに、七日間を一週間として生活するリズムが伝わり、根付いたわけです。

さらに基本的なことですが、ユダヤ人は特定の人種ではありません。アジア人にも黒人にも、さまざまな人種のユダヤ人がいます。つまり、あくまでもユダヤ教を信じる人、つまりユダヤ教徒がユダヤ人ということです。そのユダヤ教徒の定義は、まずユダヤ人の母親から生まれた者、そしてユダヤ教に改宗した者、ということです。ですから、父親がユダヤ人だからといっても、母親がユダヤ人でなければ子供はユダヤ人でないことになります。そしてユダヤ人、つまりユダヤ教徒に改宗するのがなかなか大変なのです。

キリスト教の場合は洗礼を受ければキリスト教徒になれます。イスラム教徒は男性二人を証人にして「アッラーの他に神はなし、ムハンマドは神の使徒なり」、これをアラビア語で三回唱えればイスラム教徒になることができます。ユダヤ教はそんなに簡単ではありません。

改宗には、試験があります。まずヘブライ語で聖書が読めるようにならなければなりません。そして、ユダヤ教のラビという指導者の面接を受けて、本当にヘブライ語で聖書を理解できているかどうかを問われる試験に合格しなければなりません。

さらにはユダヤ教徒として生活するために、キッチンを改造しなければいけません。食べ物に関しても、ユダヤ教にはさまざまな戒律があります。例えば海の生き物であれば、鱗《うろこ》があるものでなければ食べてはいけない。ということは、イカやタコは食べられないことになります。また、豚肉も食べてはいけない。さらには血を食べてはいけないというので、血が滴《したた》るようなステーキは食べることができません。

さまざまな戒律がある中で、「子ヤギの肉をその母の乳で煮てはならない」という規定もあります。その結果、現代では肉と乳製品を一緒に調理してはいけないことになりました。一度使ったものは洗えばいいだろうというわけではないのです。調理器具も食器もすべて肉用と乳製品用に分け、それらを洗うシンクも二つ用意しなければなりません。面接に合格すると、ラビが家まで来てキッチンが完全に分離されているかどうかをチェックするのです。

## 大切なシャバット

ユダヤ教徒は、神様が休まれたという七日目を安息日とし、非常に大切にしています。ユダヤ教における安息日は、金曜日の日没から土曜日の日没まで。この安息日のことをシャバットと呼びます。敬虔なユダヤ教徒は神様から与えられた安息日を徹底的に守ります。

金曜日の日没から土曜日の日没まで一切仕事をしてはいけないのです。

古代において、仕事をしてはいけないということは、火を使ってはいけないということでした。ですから、現代においても、自動車を運転するとガソリンを燃やすので、自動車を運転することはできません。さらには電気を使うことも仕事になるというので、電気を使用するものにも一切触ってはいけないことになります。すると例えば、マンションでもアパートでも高層階に住んでいる人は、金曜日の日没から土曜日の日没まで、エレベーターのボタンは押せません。エレベーターに乗って行きたい階のボタンを押すと電気が通ります。これは戒律に反するわけです。

ですからエレベーターが複数設置されていれば、そのうちの一台は必ずシャバットエレベーターです。シャバットエレベーターは、金曜日の日没から突然自動運転になります。これに乗り込んでボタンを押したとしても反応しません。もちろんユダヤ人は何にも触れません。やがて自動でドアは閉まり、最上階まで上昇します。そして自動的に一階ずつ降りていくのです。

シャバットでは仕事をしてはいけない、電気を使ってもいけない、火を使ってもいけない。ということになると、金曜日の日没から食事の支度ができなくなるわけですね。金曜日の日没までに金曜日の夜と土曜日の朝と昼のつくり置きをしなければなりません。しかし、土曜日のための料理を冷蔵庫に入れるわけにはいきません。冷蔵庫を開けたとたん、明かりがつきますから。

そこで開発されたのが、シャバット冷蔵庫。金曜日の日没から土曜日の日没までの間はドアを開けても庫内の明かりがつかないようになっているのです。

## コラム イスラエルで日本人が頼まれたこと

イスラエルに住む日本人宅に、シャバットの夜に友人のユダヤ人が突然訪ねてきました。「ちょっと家に来てくれと」と言われます。行ってみると、家は真っ暗です。そこでそのユダヤ人は、「シャバットなので電気が使えなくて、とても困ってるんだ」と延々と話します。日本人にしてみれば「あなたたちの戒律で電気をつけてはいけないのだから、仕方ないでしょ」と思うのですが、そのユダヤ人は、困っているという話を一向に止めません。もしかすると、と思い、電気のスイッチを押すと、安堵した表情のユダヤ人は、「帰っていいよ」と言ったそうです。自分で電気をつけるだけでなく、人に頼むのもつける意思があったということになるので、こんなことが起こるのだそうです。

## キリストもユダヤ人

今から二〇〇〇年と少し前です。現在のパレスチナ地方のベツレヘムで、マリアという女性がイエスという男の子を産みました。イエスというのは当時、ごく普通の男の子の名前でした。

そのイエスは、やがて長じるにつれて、ユダヤ教の改革運動をするようになります。それに対してユダヤの長老たちが「こいつはけしからん」ということになり、パレスチナを支配していたローマ帝国に引き渡します。こうしてイエスは死刑判決を受け、十字架に掛けられるわけですね。

ユダヤ教では、死者は二十四時間以内に埋葬されなければいけません。殺されたイエスは、ただちにゴルゴタの丘のそばに埋葬されました。ところが三日後、イエスの墓は空になっていました。そのイエスが弟子たちの前に現れ、お説教をしてオリーブ山の山頂から天に昇って行ったという話が広まります。

イエスの墓とされる場所に建つ、エルサレムの聖墳墓教会

ユダヤ教には救世主信仰があります。やがて世界の終わりが来るときに救世主が現れて人々を導いてくれるというものです。イエスが復活し天に昇ったという話を聞いた人びとは、イエスこそが救世主ではないか、と思うようになりました。キリストとは救世主という意味です。つまり、イエス・キリストという名前ではなく、救世主イエスという意味です。そもそもはイエスも含めて、みんなユダヤ教徒だったのですが、イエスがキリストに違いないと信じる人たちをキリスト教徒と呼ぶようになったわけです。

やがてキリスト教徒は増え、ローマ帝国もキリスト教を国教とします。そしてユダヤ人は国を追われることになったのです。

イエスはユダヤ人として生まれ、イエスの死後にキリスト教が誕生したということです。ですからそもそものキリスト教の聖書はユダヤ教と同じ聖書でした。しかしイエスがキリストであり、このイエスを通じて神様と新たな契約を結んだという概念が生まれます。これが新たな聖書となるのです。ですから、キリスト以前の聖書を『旧約聖書』、キリスト後の聖書を『新約聖書』と呼んでいます。

ユダヤ教徒の聖書を『旧約聖書』というのはユダヤ教徒以外で、ユダヤ教徒は決してそういいません。ユダヤ教徒にとっては、あくまでも『聖書』しかないのです。

## コラム 引用は『旧約聖書』から

アメリカはキリスト教国家。大統領の就任演説では、必ず聖書からの引用がありま す。彼らはキリスト教徒ですから、その引用はキリストにまつわる『新約聖書』か ら、と思うのですがそうではありません。キリスト教の国ではありますが、アメリカには多くのユダヤ教徒も住んでいます。ですから、キリスト教徒以外にも配慮して、引用は『旧約聖書』から、ということになっています。

## イスラム教の誕生

一四〇〇年ほど前、アラビア半島のメッカにムハンマドという男性がいました。ムハンマドは自分より年上の未亡人に見初《みそ》められ、彼女と結婚します。四十歳になって思い悩むことが多くなり、家のすぐ近くの洞窟にこもって瞑想にふけるようになります。すると、あるとき突然、何者かによって羽交《はが》い締《じ》めにされたムハンマドに、空から「声に出して読め」という言葉が降ってきました。ムハンマドは読み書きができませんでしたから、「私は読めません」と言います。しかし、上から「いいから読め」という言葉が降りてくる。

怯《おび》えたムハンマドは家に逃げ帰り、妻に洞窟での出来事を話します。妻がその話を自分の従兄に話すと、その従兄は「ムハンマドは神の啓示を受けたのだ」と答えたといいます。つまり、神の言葉を預かったということ。ムハンマドを羽交い絞めにし、神とムハンマドの仲介をしたのが大天使ジブリールということなのです。神から言葉を預かる者ですから「預言者」となるのです。以後、ムハンマドはジブリールを介して神からの言葉を聞くようになります。

ちなみにこのジブリール、キリスト教においては、大天使ガブリエルです。数多くの天使の中でガブリエルは最も位が高く、人間が理解できない神の言葉を翻訳し、人間に伝える役割をはたします。

洞窟で聞いた神の言葉をムハンマドは暗唱し、周囲の人たちも覚えていきます。誰も読み書きができませんでしたから、ひたすら暗唱し、覚えるしかありませんでした。やがてムハンマドは亡くなり、頻繁に戦争も起きて、神から伝えられたムハンマドの言葉を覚えている人たちも減っていきます。このままでは神の教えを伝え残すことができなくなると危機感を覚えた人たちが、その言葉を記録してまとめていきます。こうして完成したのが『コーラン』なのです。より忠実に発音すると「クルアーン」ですが、これは「声に出して読むべきもの」という意味です。

イスラム教の側からいえば、神はユダヤ人たちに神の言葉を与えた。これが『旧約聖書』。ところが、ユダヤ人たちはその教えを守らないので、今度はイエスを預言者として選び、神の言葉を新たに伝えた。それが『新約聖書』になります。ところが、キリスト教徒も教えを守らないので、最後の預言者としてムハンマドを選び、ムハンマドに伝えたものが『コーラン』になる、ということです。最後の最後にさずかった言葉が『コーラン』なので、イスラム教徒にとってはこれが最も大事なものです。

ユダヤ教徒もキリスト教徒も、神から与えられた書を信じているので、「同じ経典の民」ということになっています。いずれも神様の言葉を信じている人々なのだから、ユダヤ教徒もキリスト教徒もイスラム教徒と同じように神に救われる、と『コーラン』にあります。

膨大な『コーラン』の記述の中には、さまざまに解釈できる内容もあります。しかし、基本的には同じ神の言葉を信じる者なので、ユダヤ教徒もキリスト教徒も大事にしなさいという考え方です。ですからＩＳ（イスラム国）がアッラーの名のもとにテロを起こし、人を殺すのは、本来イスラム教の教えに反しているのです。

## さまざまな戒律

イスラム教には、守るべきさまざまな戒律があります。例えば一日五回のお祈り。イスラム教徒は日の出前、お昼、午後の三時ごろ、日没のころ、そして寝る前の五回、メッカの方角に向かってお祈りをしなければなりません。

イスラム教の国に行くと、夜明けの直前にあちこちのモスクから、お祈りに来たれというアナウンスが流れます。これはアザーンといいます。これを聞くと、イスラムの国に来たことを実感します。

イスラム世界では、一年に一度「ラマダーン月」というのがあります。この月は一カ月間、断食をしなければいけません。断食と言っても、一カ月まるまる何も食べないわけではありません。一日のうち、空が白み始める明け方から日没までの間、食べたり飲んだりしてはいけないということです。

イスラム教徒のメッカ巡礼

ラマダーン月は九月なのですが、これはイスラム暦の九月ですから、毎年すこしずつ西暦と時期がずれます。そのためラマダーン月が夏になることもあれば、冬になることもあり、太陽の出ている時間が長い夏のラマダーンは過酷です。

ラマダーンの期間のイスラ

ム教徒は、まず日の出前に起き出して朝食をたらふく食べるわけですね。そして朝のお祈りをしてからもう一眠りします。次に起きてからは何も口にしません。日没になると、また大量に食べたりして過ごします。結果的にイスラム世界では、ラマダーン月の食料消費量が普段の月よりも多くなるそうです。

例外は子供たち、それから妊娠中や乳幼児を育てている女性で、ラマダーン月であっても断食をする必要はありません。旅行者も例外として扱われます。昔の旅といえばラクダとともに砂漠を行ったりしますから、そんなときに水も一切飲んではいけない、とはならないようです。

## コラム 夕方の交通事故

ラマダーン月の太陽が出ている間、イスラム教徒は何も食べていませんから、夕方には誰もがお腹を空かせています。日没を迎えて家に帰れば御馳走が待っています。ですから、日没前の運転手はみな空腹でイライラしながら運転していることになりますね。つまり、交通事故が非常に多くなるのです。

以前、アラブ首長国連邦のドバイに行ったとき、ちょうどラマダーン月でした。夕方タクシーに乗ると、乱暴な運転。その運転手が「ちょっとガソリンスタンドに寄っていいか」と訊きます。「いいよ」と答えると、ガソリンスタンドに入った彼は車から飛び出してパンを買ってきました。運転席に戻ると、パンをいきなり食べ始めます。「今日のラマダーン後の最初の食事（イフタール）か」と訊くと、「そうだ」という返事。ラマダーンが終わって何か食べようとしたら客が乗り、続けざまに私が乗ったということでした。ガソリンスタンドに寄っていいかと言われたとき、それを断っていたら事故を起こしていたかもしれませんね。

食べ物に関しても、厳しいきまりがあります。まず、イスラム教では豚肉を食べてはいけません。なぜ豚肉を食べてはいけないのかというと、コーランの中の「以下のものを食べてはいけない」というところに、「死んで見つかった動物の肉、病気の動物の肉、そして豚肉」とあるからです。この三つが並んでいるということは、当時のアラビア半島で豚の病気がはやっていたのではないかと考えられています。

そして豚は肉だけでなく、ほんのわずかでも豚が使われたものは口にしてはいけないことになっています。豚肉そのものが入っていないからといって、豚骨ラーメンは許されません。

以前、パキスタンで大地震があったときに日本から支援物資が送られたのですが、その中に大量のインスタントラーメンがありました。しかし、そのインスタントラーメンには豚のエキスが使われていましたから、結局、全部廃棄処分になったそうです。

さらにはアルコールも一切だめです。コーランには、「酒を飲むと酔っ払って喧嘩をしたり、あるいは神様のことを忘れがちになるからいけない」というふうに書いてあります。

最近は、日本でもイスラム教徒が安心して食べられるように、「ハラル」と表示されるようになっています。ハラルとは「許されているもの」という意味で、豚肉やアルコールを一切使っていないので、イスラム教徒の人たちが食べても大丈夫ですよ、という食品です。ハラルを認証する機関が検査をし、表示を認めています。イスラム世界の食べ物は全部ハラルですから、いちいちハラルの表示はありませんが、それ以外の国や地域では、この「ハラル」の文字が安心の目安になっているのです。

このハラルの認証を得るためには、さらに厳格なルールを守らなくてはなりません。肉の処理はイスラム教徒が行うこととなっていますし、例えば鶏にしても鶏肉を料理するときには必ず「アッラーアクバル（神は偉大なり）」と言いながら、頸動脈をスパッと切って血抜きをしなければいけません。さらに、調理場をきれいにするために、アルコール消毒をするわけにはいかないので、必ず塩素で消毒をする、などといった細かいルールが決められています。

## 利息をとらない金融システム

二〇〇一年九月の同時多発テロの際、アメリカのブッシュ大統領（息子）は「テロとの戦いは十字軍の戦い」と発言しました。重大な失言でした。これをきっかけにイスラム世界でアメリカに対する反感が広がりました。

歴史を知らないブッシュ大統領は、十字軍は正義の聖戦だと思い込んでいたのでしょう。しかしこの正義はキリスト教にとっての正義であり、イスラム世界においての十字軍というのは、ヨーロッパのキリスト教徒たちが突然、一方的に攻めてきたということです。

そもそもは、「エルサレムがイスラム教徒によって占領された。聖地を奪回しろ」というローマ教皇の命令で大勢のキリスト教徒がエルサレムを奪いに行ったのです。平和に暮らしていたイスラム教徒のところに突然、十字を掲げた軍隊がなだれ込んできて、大量虐殺をする。エルサレムに最初に到達した十字軍は、旧市街に住んでいたイスラム教徒もユダヤ教徒も見境なく全員皆殺しにしたといわれています。

つまり、イスラム教徒にとっての十字軍は、キリスト教徒が勝手に攻めてきた侵略戦争というイメージです。ブッシュ大統領は、そういう歴史を知らず、「十字軍の戦いだ」と口走ったのです。この発言により、イスラム教世界とキリスト教世界に対立の空気が広がったのです。そして、それまで欧米の金融機関に運用を任せていた中東の国々や投資家が、アメリカが敵に回れば資産が凍結されるかもしれない、と思うようになります。コーランの教えにたちもどり、自分たちの金融をつくり出さなければ、と考えるのです。

コーランの一節に「アッラーは、商売はお許しになったが、利息取りは禁じ給《たも》うた」という言葉があります。つまり、商売はいくらやってもいいけれど、利息を取ってはいけない、ということなのです。

一般的な金融業は、預金者からお金を預かり、それを必要としている企業などに貸して利息を取ります。そして受け取った利息と預金者に支払う利息の差額が金融業者の利益になります。でも、利息を取ることを禁じられたイスラム教においては、どうお金を運用するのか。これを打開したのが、すべてを物に置き換えて考えるということです。

つまり、物の売買に置き換えればいい。どういうことかというと、例えばある企業が銀行からお金を借りたいと考えます。すると、銀行が預金者と一緒になって共同でこの会社を買収するのです。そしてその企業は購入された資金で新しい工場を造ったりして事業を拡大する。事業を拡大した段階で、元の経営者たちが銀行から会社を買い戻すのです。あくまで会社の売買ということです。このときに預金者と銀行が一緒になって会社を買収したお金よりも高いお金で会社経営者がこの会社を買い戻す。ということは、その差額が銀行と預金者の利益になる。つまり、お金を貸して利子を取るのではなく、あくまでも商売で利益を生む、というやり方です。

イスラム金融はこればかりではなく、実にさまざまな手法が開発され、9・11以降、イスラム世界に広がりを見せています。

## コラム 「信仰する宗教はない」は危険

一般的に日本人は、宗教に対する意識が希薄です。特定の宗教を信仰しています、という人の方が少ないくらいで、行事に関しても、神道や仏教、キリスト教など、宗教にまつわるさまざまなものが混在しています。

しかし、海外で「特に信じている宗教はありません」というと、驚かれることになります。例えばアメリカでは、信じる宗教がないということは、積極的な無神論者ととられかねません。宗教を否定する共産主義者か、あるいは無政府主義者とか。そしてひいては危険な思想の持ち主かもしれないと思われることもあるのです。

サウジアラビアに行くと、入国カードには信仰する宗教を書く欄があります。もしそこに「ない」と書けばどうなるか。「信じている宗教がないということは、神様を信じていないということ。神を信じていない者は、神をも恐れぬ行為に出るかもしれない。そんな危険な人物は国内に入れるわけにはいかない」と判断され、身柄を拘束され、国外追放処分になる可能性があります。

世界では「信じる宗教がない」というのは、非常に珍しいことだと覚えておきましょう。

## パレスチナ難民

第一次世界大戦において、イギリスやフランスは、中東を支配するオスマン帝国と戦い

1948年、イスラエルの建国を宣言する、初代首相ダビッド・ベン・グリオン

ます。このときイギリスは、オスマン帝国に支配されていたアラブ人勢力に対し、アラブ人国家の成立と引き換えに協力を求めます。さらにはユダヤ人勢力にも、ユダヤ人国家の成立の支援を約束して協力させます。しかし、実際はオスマン帝国の崩壊後、この広大な土地をイギリスとフランスとロシアで分け合うことを決めていたのでした。「イギリスの三枚舌」外交でした。

大戦後、勝利したイギリスはパレスチナを統治することになりますが、アラブ人もユダヤ人も怒ります。第二次世界大戦後、最終的にパレスチナを維持できなくなったイギリスは、ここから撤退し、国連にゆだねることにしました。

そして一九四七年、国連でパレスチナが

分割されることになりました。全体の五十六パーセントがユダヤ人の土地、四十三パーセントがアラブ人の土地、そして残りの一パーセントは、ユダヤ教、イスラム教、そしてキリスト教の聖地でもあるエルサレム。このエルサレムは国連が管理することになり、翌年の一九四八年に「ユダヤ人国家」イスラエルが建国を宣言します。

イスラエルの土地になった場所には、アラブ人が住んでいました。彼らは土地を追われ、難民になります。これがパレスチナ難民です。よくパレスチナ人という言い方をしますが、パレスチナに住んでいたアラブ人のことです。パレスチナ難民と呼ばれるうちに、自分たちはパレスチナ人なんだという民族意識が生まれたのです。パレスチナ難民が逃れたところに難民キャンプができていきます。

難民キャンプというと、テント生活をイメージしがちですが、現在のパレスチナの難民キャンプはそうではありません。たしかに最初はテントばかりのキャンプでしたが、それは一九四八年から一九五〇年あたりのこと。七〇年ほど経ったいまでは、二、三階建てのコンクリートの建物が並ぶ、大きな町になっています。

ただし、あくまでも難民で、やがては定住できるところに帰っていく存在という建前ですから、インフラは整備されていません。汚水なども垂れ流しの状態で、住む場所はあっても非常に厳しい生活を強いられています。

そして、彼らの多くには仕事がありません。キャンプを出ても仕事を与えられることはなく、ただ何もすることなく、キャンプに閉じ込められて支援物資で暮らしているのです。キャンプで生まれ、若者になっても働くこともできない。これがどれほどのストレスか。ときに自暴自棄にもなるわけです。

パレスチナにガザ地区という難民キャンプがあります。ここで取材をしたときに、医療活動をしていた日本人医師に聞いたのですが、この難民キャンプで一番医療費がかかるのは生活習慣病だということでした。

難民キャンプは高齢化が進んでいて、その高齢者たちは長年そこに住み続けています。食料は支援物資があるので、十分に食べることはできますが、仕事をしないので運動不足になります。そしてのしかかるストレス。その結果、高血圧や心臓病などの生活習慣病が激増しているそうです。

## キャンプを変える

ヨルダンのシリア難民のキャンプを訪ねたときのこと。ここで驚いたのは、キャンプの中に、露店がずらーっと並んでいる商店街があったことです。夜も電気をひいて、キャン

ヨルダン、ザータリ難民キャンプの「シャンゼリゼ通り」

プの外で仕入れた野菜や果物、鶏肉などを売っているのです。電気は勝手に難民キャンプ用のものを盗んでいました。一番の繁華街は「シャンゼリゼ通り」と呼ばれていて、活気にあふれていました。シリアはフランスの植民地だったので、メインストリートにこの名前がつけられたそうです。それと直角に交わる通りは、「五番街」だそうです。

この難民キャンプを管理しているＵＮＨＣＲ（国連難民高等弁務官事務所）の担当者に話を聞くと、「難民キャンプで援助に頼るという生活を続けていくと、難民キャンプの人たちがだんだん何もできなくなっていく。だから、ちょっとした不法行為には目をつぶって、とにかく自分で稼ぐことを奨励している。あえてそうすることによって難民たちが自立できるのです」と話してくれました。

ＷＦＰ（世界食糧計画）という国連の組織があります。難民などに食料を援助する組織で、最初は難民に食料を届けていました。

ところが、キャンプ周辺の一般国民にも貧しい人はたくさんいて、「自分たちは必死で働きながら貧しい生活を送っているのに、なぜキャンプの難民はただで食べ物がもらえるんだ」と、難民キャンプに対して敵意を募らせるようになったということです。

そこでＷＦＰが考えたのがフードスタンプというもの。難民に食料を直接配るのではなく、フードスタンプというものを渡します。このフードスタンプは、キャンプ周辺の地元住民の店で買い物ができるもので、フードスタンプの代金をＷＦＰが支払う仕組みになっています。難民にかかる食料費は同じですが、このシステムだと難民は自分で食料を選ぶことができ、周辺の住民も潤うことになります。システムが導入されて、地元の人たちのキャンプに対する見方が大きく変わったということでした。

難民への支援というと、つい食料や生活物資を送ることを想像しがちですが、現場の状況や環境によって運営も変化しています。それに合わせて支援の方法も変えていくことを考えなくてはならないでしょう。

Q パレスチナを分割するとき、ユダヤ人の土地とアラブ人の土地とで広さがちがっていたから戦争になった、という記事を読んだことがあるのですが、実際にそうなのでしょうか。そして、もしどちらも同じ割合だったら、双方が納得したのでしょうか。

A これはユダヤ人のほうが広かったから戦争になったわけではありません。そもそもパレスチナにはアラブの人たちが住んでいたわけで、そこに彼らの意図に関係なく、国連がアラブの国とユダヤの国に分けようとしたことが最大の原因ですね。

パレスチナを分割するときに国連の調査団が入り、パレスチナをアラブ人の国とユダヤ人の国に分けるには、どうすればいいかを調べました。ユダヤ人たちは、自分たちの国ができるというので、できるだけ自分たちに有利になるように国連の調査団に全面的に協力します。一方、アラブ人は自分たちが住んでいるところに新しくユダヤ人の国をつくるなんてとんでもないと、調査をボイコットするわけだね。となると結果的に国連の調査はユダヤ人に有利なものになっていくということがありました。

とりわけユダヤ人の土地が広くなったのは、パレスチナのネゲブ砂漠をユダヤ人側が欲しがったからという理由があります。人が住めないような砂漠地帯です。なぜそんなところをユダヤ人が望んだかというと、一つには、この土地がヨルダン川で紅海《こうかい》につながるということ。ここに港をつくれば紅海に出ることができます。そしてもう一つの理由は後になって判明するのですが、実はここにはウラン鉱山があったのです。海に通じる港の建設用地とウラン鉱山。これをユダヤ人がどうしても欲しいと要求し、その通りになってユダヤ人の土地が広くなったといういきさつがあります。

そして現在、このネゲブ砂漠には、地下核兵器工場があります。イスラエルは核兵器を保有しているとは言わない政策をとっていますが、実際にはこの砂漠のウラン鉱山を利用して核兵器を製造し、保有しています。以前、イスラエルの戦闘機、つまり自国の戦闘機が予定の飛行ルートをはずれ、核兵器工場が地下にあるあたりを通過したところ、地上からのミサイルで撃墜されています。それだけ厳重に守られているのです。

Q 持続的な支援のためには、UNHCRのような自立させる支援の方法は大事だと思うのですが、実際にそのような組織の支援が終わってからも、その人たちだけで、同じような制度を維持することや、自立というのは、できるのでしょうか。

A

国に帰ることができれば可能性は十分にありますが、そうでなければできないでしょう。つまり、難民たちが無事に帰還すれば自立できるかもしれません。例えばアフリカだとモザンビークやアンゴラなど、いくつかのところで内戦が終わった後、それぞれの難民たちは故郷に帰ることができました。これはだから一件落着、終わりになるわけだね。

だけど、シリア難民はいまだにヨルダンにいるでしょう。あるいは今、トルコにもいます。最近、「トルコに来るシリア難民をとても助けられなくなったので、シリアの中に安全地帯をつくって、トルコに逃げてきた難民たちをみんな、そこに送り返そうという方針を打ち出した」というニュースがありました。つまり、難民が帰ればいいんだけれど、そうでなければ、その国だけでは、とても支援を続けられない状況になっています。

実はWFPは、難民が出たときに、そこに支援するお金は、普段持っていません。何か起きるたびに世界に呼び掛けて、緊急援助のお金を出してくださいと頼んで、それで集まったお金で支援をしています。だから、WFPが「難民たちの救済のために食料援助が必要だ。世界各国、お金を出してください」と言うと、だいたい日本は真っ先にお金を出しますね。そういう意味では、日本は非常に国際貢献しているともいえます。

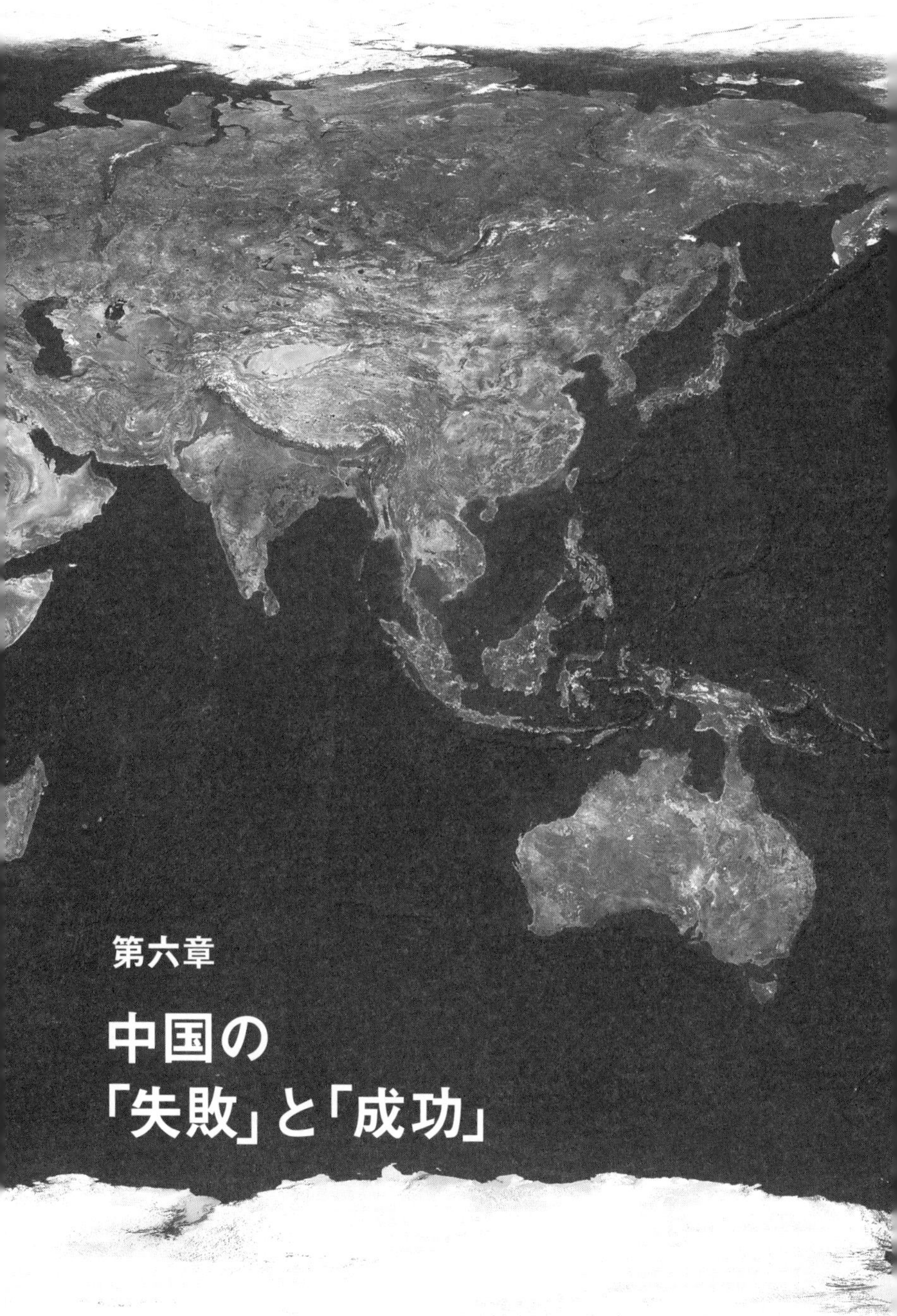

## 第六章

# 中国の「失敗」と「成功」

## 憲法より上にある共産党

中国はよく「共産党の事実上の一党独裁」と言われます。事実上ということは、どういうことでしょうか。実は中国には、共産党以外に八つの政党があります。中国では民主党派と呼ばれていて、共産党とは別の政党が八つあるのです。ところが、この八つすべての政党の綱領には、「中国共産党の指導に従う」と書かれています。政党の綱領とは「我が政党は何をするのか」ということを表すもので、つまり、別の政党でありながら、中国共産党と方針は同じです。本来そのようなものは独立した政党とは言えません。

共産党以外に八つの政党があって連立政権を構成していますよ、というのはあくまでも建前で、実際は共産党の独裁政権になっているので、「事実上の一党独裁」と言われているのです。

中国共産党は非常に特別な地位にあります。それは、憲法の上に共産党が存在しているということ。憲法は国の最高法規であり、その国のあり方を決めるものです。日本でも、まず日本国憲法があり、そこに天皇の立場や内閣、国会、裁判所などについて守るべきことが書かれています。

ところが中国では、その憲法の上に共産党があるのです。中華人民共和国憲法には、言論の自由、表現の自由、あるいは結社の自由を保障するとあります。ところが、その憲法に、「中華人民共和国の公民（国民）は、共産党の指導を受ける」とも書かれています。以前、中国民主党という新しい政党をつくろうとした際、その結成大会で全員が逮捕されました。実際には自由に政党をつくることができない。あるいは勝手にデモや集会をすると、みんな捕まってしまう。それはなぜか。そういう行為が憲法に保障されていても、それが憲法違反かどうかを判断するのは共産党だということなのです。憲法の解釈権はすべて共産党が握っているわけですね。ですから、「憲法で表現の自由、言論の自由もあるんだ」と言っても、共産党が「それは国家政権転覆煽動罪という犯罪だ」と判断すれば、取り締まりの対象になり、逮捕されるのです。

中国共産党の党員の数は、二〇一八年の暮れに九〇五九万人になり、ついに九〇〇〇万人を突破しました。ドイツの人口が八三〇〇万人ですから、ドイツの人口よりも中国共産党員のほうが多いわけですね。これは中国の人口の六％にあたり、この共産党員が国のあらゆる分野をコントロールしています。

例えば警察も、事件の内容が少しでも政治の色をおびていれば、警察だけの判断で捜査を進めることはできません。共産党にお伺いを立てなくてはなりません。裁判所も同様で、判決の内容はあらかじめ共産党に知らせて承認を得なければ判決を下すことはできません。

さらに共産党員には不逮捕特権というものがあり、普通の警察や検察は共産党員を逮捕することができません。共産党は憲法の枠外にあるので、警察も検察も手を出すことができないのです。もし共産党員が罪を犯した場合は、共産党内部に中央規律検査委員会というものがあり、そこが捜査を担当します。

中央規律検査委員会で下される最も重い刑罰は、中国共産党からの除名です。共産党を除名になると、共産党員の身分を失うので、警察が逮捕し、通常の裁判にかけられる仕組みになっているのです。

また、メディアも共産党のコントロール下にあります。少しでも政治に関わる内容になると、新聞は自由に記事を書くことはできません。新華社という国営の通信社があり、そこが出した方針に従って報道します。ですから中国では、報道が遅れることがよくあります。取材した内容を記事にしても、共産党のお墨付きをもらうまでに時間がかかるのです。

日本のＮＨＫの放送を中国でも見ることができます。しかしこれは遅延放送で、一〇秒から一五秒くらい遅らせて放送しています。ＮＨＫの番組内で共産党にとって都合の悪い内容が流れると、この十数秒間に国民に見せてもいいかどうかを検討し、不適切だと判断されれば、たちまち放送が中断されるのです。中国では、NHKの放送中に画面が真っ黒になることがしばしばあります。

さらにはサイバーポリスというものが存在し、SNSやブログなど、ネット空間を検閲しています。ここでも共産党に都合の悪い内容は、直ちに削除されます。このサイバーポリス、五、六年前には三万人と言われていましたが、現在では一〇万人になったとも言われています。この一〇万人が交代で、二十四時間三六五日絶えずネット空間をチェックし続けているのです。

憲法でさまざまな自由が保障されているにもかかわらず、共産党の意にそわない者は処罰されてしまう。こういう中国の体制がどのようにしてでき上がったかを見て行きましょう。

## コラム 「六四」というキーワード

近年、中国のホテルにはWi-Fiが整備され、高速でインターネットが使えるようになっています。以前、北京のホテルで「六四」という数字を検索しましたが、何も出てきませんでした。二〇一九年は天安門事件から三十年目にあたりました。「六四」というのは、民主化を求めて北京の天安門広場に集まった学生たちが人民解放軍によって弾圧され、多くの死傷者を出した六月四日を表す数字なのです。

## 毛沢東による毛沢東のための共産党

一九四六年からの中国共産党と国民党の内戦を経て、一九四九年、中華人民共和国が誕生します。共産革命を掲げ、政治体制を整えた国家主席の毛沢東が建国後にまず行ったのが、抵抗勢力の排除でした。「反革命活動の鎮圧」の名のもとに、三年間で七十万人が「反革命分子」として処刑されました。この処刑は公開で行われたため、国民は、共産党に逆うとこういうことになるのだ、と学びます。

同時に戸籍制度で国民を管理し、農業や工業をはじめ、あらゆる産業を社会主義化していきます。例えば内戦中は、大地主から土地を取り上げて貧しい農民たちに分け与えていた共産党でしたが、そのすべての土地を再び取り上げ、ソ連（ソビエト社会主義共和国連邦）に倣《なら》って集団化を進めました。土地の個人所有を認めず、農民が集団農場で平等に働き、生産物は平等に分配されるというシステムでした。集団農場は人民公社と名づけられました。

一気の社会主義化で中国経済は成長したかに見えました。しかし、建国にあたってはソ連から支援を受けていて、その返済に農産物を当てなければならず、国に収める割合の多さに農民の労働意欲は減退していきます。

1949年10月1日、毛沢東の建国宣言で
中華人民共和国が誕生した

　一九五六年、毛沢東が打ち出したのが「百花斉《ひゃっかせい》放《ほう》・百家争鳴《ひゃっかそうめい》」という方針でした。これは、すべての人が自由に発言し、国のあり方について議論しよう、というもので、「中国

共産党にもいろんな欠点や欠陥があるはずだから、みなさん、どうぞ自由に中国共産党を批判してください」と国民の声を募ったのです。しかし事実上の独裁体制に対して批判するのは勇気のいることで、なかなか声は上がりません。すると翌年、毛沢東は「言者無罪」というスローガンを打ち出し、発言する人に罪はないので自由に批判するよう促します。

その結果、知識人たちがおそるおそる口を開くようになります。批判の中心は、共産党の独裁についてでした。あらゆる場面で党がすべてを決定している状況を指して、党と国を明確に分けるべきだという意見も出るようになりました。

するとわずか一カ月後、共産党を批判した人たちに「右派」のレッテルを貼り、弾圧にかかります。「反右派闘争」といいます。「さあ、共産党のことをどうぞ自由に批判してください。どんな内容でも罪にはなりませんから」と言って発言させておいて、批判した人々を右派だと断定し、投獄したり、あるいは辺境地帯に追い出したり、場合によっては死に至らしめる、ということを行ったのです。この「反右派闘争」で五十五万もの人が社会的地位を失いました。これにより、人々は共産党の言うことを批判してはいけないのだと学びました。ひたすら指示に従う精神構造が生まれ、これが次の悲劇を生みます。

## 飢餓を生んだ大躍進政策

ロシア革命によってソ連が生まれ、遅れた農業国が工業に力を入れるようになり、ソ連の経済は急激に発展していました。それに自信をつけたソ連のフルシチョフ首相は一九五八年、「世界一の経済国のアメリカに十五年で追いついてみせる」と宣言します。当時、中国のあらゆる手本はソ連でしたから、これを見た毛沢東も「中国は十五年でイギリスに工業生産で追いつくべきだ」という方針を打ち出します。世界一の経済大国アメリカにソ連が追いつくのなら、世界で二番目の経済大国イギリスに中国が追いつくはずだという、恐るべき単純な発想です。これが「大躍進政策」で、理論的な根拠はまったくなく、国民の悲劇を招きます。

イギリス経済を支え、工業の発展に大きく貢献していたのは製鉄業でした。そこで毛沢東は、イギリスに工業生産で追いつくためには鉄鋼の生産量をイギリス並みに引き上げることが必要だと考えます。全国の農民に、庭先での溶鉱炉建設を奨励します。

そもそも製鉄業は施設産業といわれ、巨大な設備が必要な産業です。農業国が重工業を産業にするには、まず軽工業からスタートしなくてはなりません。耐火煉瓦をはじめ、さ

鉄鋼生産倍増のために、中国各地につくられた「土法炉」

まざまな軽工業の技術が揃ってからでなくては、製鉄所はできないのです。

しかし毛沢東は、欧米諸国がなぜ巨大な製鉄所を建設するのか、理解できなかったそうです。つまり、小さくても炉があれば鉄鋼石から鉄が取り出せると言い、鉄鋼生産量を倍増させる目標を立てます。人民公社の敷地には、高さ四～五メートルの煉瓦の溶鉱炉が造られました。これを「土法炉」と呼びました。このために、寺など古い建物に使われていた煉瓦を調達します。寺や歴史的施設を全部破壊し、そこから取り出した煉瓦で溶鉱炉を造らせたのです。全国六十万カ所にこの土法炉が建設され、一億人の農民が動員されました。

毛沢東が「裏庭で簡単につくれる」と言っ

ているのに「できません」とは言えません。しかし土法炉でまともな製鉄が行えるはずはなく、さらには鉄鉱石も満足にありませんでした。そこで追い詰められた農民は、農作業用の鋤《すき》や鍬《くわ》を溶かして鉄の塊にします。鍋やフライパンまでもが材料にされました。本来ならば、製鉄業で得られた鉄で鋤や鍬を製造するはずなのに、それを壊してしまうことになったのでした。

さらには、鉄鋼業には石炭が必需品ですが、それも手に入らない農民たちは、森林を伐採します。伐採した木材を燃料にしました。この結果、中国全土で広大な森林が消滅することになりました。それでも足りない場合は、食料用の樹木、つまり育てていた栗や柿の木まで切って溶鉱炉に入れたのでした。

鉄くずをつくるために文化遺産や自然が破壊され、農機具も破壊され、その結果農業はおろそかになり、農産物の生産は激減しました。

## コラム　ソ連から輸入されたスズメ

米農家にとって収穫時期のスズメはやっかいもの。案山子《かかし》を置いたり、ネットを張ったりと対策に頭を痛めます。

大躍進政策時代の中国では、驚くべき方法でスズメを退治していました。それは人海戦術。収穫前の田んぼに、鍋や空き缶など音の出るものを持った人々がどっと集まり、いっせいに音を出してスズメを驚かせます。飛び立ったスズメが下りてくると、また大騒音で迎え撃つ。これをひたすら繰り返して、スズメが弱ったところで捕獲したのです。北京市では、三〇〇万人が動員され、三日間で四十万羽のスズメを駆除しました。

その結果何が起こったか。害虫が大量に発生し、稲が全滅しました。農民はスズメが害虫を食べてくれることも知っていましたが、それを口に出せなかったのです。最終的には、スズメが役に立っていることを知った共産党が、ソ連からスズメを輸入します。現在中国で見かけるスズメのルーツはソ連、いまのロシアなのです。


さらに、とんでもない農業政策が行われます。稲を密植することを奨励したのです。そもそもはソ連がスターリンの政策で小麦を密植し、大失敗に終わっていたのですが、それを大成功したと発表していて、毛沢東が真に受けたのです。

これは、マルクスの階級闘争論を農業に機械的に当てはめるという、とんでもない論理でした。「階級闘争というものは、労働者たちが団結して資本家に立ち向かい、やがて資本主義を倒し、社会主義革命を成功させる。労働者階級は団結することができる。それによって革命を起こすことができる」。これを田んぼにあてはめると、稲を隙間なくびっしり植えると、稲同士が団結し、協力し合って多く実らせる、ということになるというのです。同じ階級の稲同士なら、光や肥料を求めて争ったりしない。そういう理屈です。ソ連はこれを小麦で実践して失敗しているのですが、毛沢東はその事実を知りませんでした。風通しも悪く、肥料も行きわたらず、生産量は落ちていきます。

「密植すれば、たくさん米ができるんだ」と言われているのに、そうならない現実は地方の役人や末端の共産党員を焦らせます。彼らは生産量が減っているにもかかわらず、中央政府には「豊作だ」と報告します。毛沢東や党幹部たちの視察があった場所では、伸びた稲を視察団の見えるところにだけ集め、さらには、稲の間にベンチを隠し置いて子供を座らせて写真を撮り、「子供が乗っても倒れないほど稲が成長した」と報告したのです。

北京でその報告を受けた毛沢東は、「おお、大躍進政策は大成功だ」と思うわけです。そこで余剰分は輸出しようと考えます。当時中国は外貨を持っていませんでしたから、米をソ連に輸出し、機械製品や自動車などを輸入することを計画。全国の農村地帯の組織に、余った米を中央に出すように命令が届きます。この段階になって、地方の役人たちは、「報告は間違いでした」などとは言えません。結局彼らがしたことは、農民の家を一軒一軒回り、自家用の食料に蓄えていた米まですべて取り上げ、中央に送ったのでした。抵抗した農民は、もちろん捕まります。

このとき、中国の農村地帯では、少なくとも三〇〇〇万人が餓死するという悲惨な状態になりました。中国の歴史の教科書を見ると、「一九五八年から一九六一年にかけて気候不順が続き、食料不足が起き、被害が出た」と書いてあります。実際は、毛沢東の愚かな指導と、それに逆らえなかった官僚組織、あるいは、自らの保身に走った役人たちによって、これだけの悲劇が起こったのです。

このころ、アフリカの植民地が次々に独立を果たします。宗主国は、イギリスやフランスあるいはベルギー、ドイツなどですが、植民地が独立しようとするときに、資本主義経済か、社会主義経済かの選択を迫られます。このとき社会主義国のソ連や中国は農業政策の成功を大宣伝し、それを真に受けて社会主義経済を選択した国が多くありました。その結果、それらの国々では飢餓が広がり、貧しい中で内戦が勃発するということになります。アフリカ各地で内戦が続いていますが、きっかけをつくったのは、中国やソ連の独裁体制にあったともいえるのです。

## 文化大革命という新たな闘争

三〇〇〇万人もの餓死者を出したことを中国は認めていませんし、国民にも伝えていません。しかし、共産党の内部では毛沢東の権威が揺らぐことになります。このときの毛沢東は、共産党の主席であり、さらに国家主席でもありました。この二つの「主席」を建国以来独占していましたが、大躍進政策の失敗に対する批判が高まり、毛沢東は国家主席を副主席だった劉少奇《りゅうしょうき》に譲ります。国家主席は譲り、しかし共産党の主席の座には留まる。つまり、国家を支配するのが共産党である以上、共産党の主席であることが最大の権力を握る方法でした。

ところが、劉少奇は次第に「国家主席」として振る舞うようになり、やがて「大躍進政策での飢饉は天災によってもたらされたものではなく、人災であった」と認めます。つまりこれは、明らかな毛沢東批判でした。

ここで、毛沢東が最初で最後の自己批判をします。「このように大躍進政策が失敗し、多くの犠牲者が出たことは、他の者に責任があるが、そこはトップである私が責任を取る」と言います。本人に絶対的な責任があるのに「他の者に責任がある」と罪をなすり付けながら、「でも、そういう連中のミスの責任をトップの私が代わって取るのだ」という、自己批判になっていない言い逃れをします。これ以降、毛沢東の権力はかげりをみせます。

## コラム　国民が選べない代議員

毛沢東の時代は、共産党のトップは主席でしたが、現在は総書記に名称が変わっています。主席の場合はその一人にすべての権限が集中していましたが、現在では七人の政治局員がいて、それを代表するのが総書記というかたちになっています。総書記が国家主席になり、全国人民代表大会において、代議員によって選ばれます。

この「全国人民代表大会」を日本のメディアは、「日本の国会に当たる」という言い方をしますが、誤解を招く言い方ですね。「日本の国会」では、議員は選挙で選ばれた国民の代表ですが、全国人民代表大会の代議員はそうではありません。それぞれの地区の共産党の幹部から、「全国人民代表大会に代議員として行け」と指名を受けて参加しているのです。基本的に中国では、全国レベルでの選挙はないのです。

国家主席の劉少奇は実務的手腕を発揮し、次第に権威と権限が強くなっていきます。その一方で、毛沢東は党の主席であるにもかかわらず、疎《うと》まれていくように感じます。ここで権力をふたたび手にするための一大闘争を始めます。それが「文化大革命」です。

毛沢東の写真を掲げて行進する紅衛兵

毛沢東は、社会主義は共産主義へと進んで行く長い過程にすぎず、その間にも資本家階級と労働者階級の闘争は続くと考えていました。そして、その対立は共産党内部にも存在し、資本主義勢力が共産主義を腐敗させようとしているので、これらを打倒しなければならない、と言い出したのです。

これに呼応し、文化大革命

を推し進めたのが「紅衛兵《こうえいへい》」でした。「紅」は共産党のシンボルカラーで、「衛」はそれを守るという意味。全国の高校生や大学生が毛沢東の指示に従い、権力者を打倒しようという運動を実践していきます。

役所の幹部や官僚などをみんなの前に引きずり出して、自己批判を迫ります。あるいは大学の学長を引きずり出し、「おまえは腐敗している。革命精神が足りない」と言って集団で糾弾闘争というものをしました。

その方法は「ジェット式」と呼ばれ、二人の紅衛兵が標的人物の両腕を後ろにねじ上げます。後ろに伸ばされた両腕が、まるでジェット機の翼のようだというわけです。そして頭に「腐敗分子」と書いた三角帽子をかぶせ、何百人もの群衆の前で、「さあ、自己批判をしろ」と迫ります。要するに、中華人民共和国をつくった共産党の革命家や国を支えてきた人たちを、高校生や大学生たちが「腐敗している、堕落している、共産主義精神を忘れた」と言って、これを糾弾するという悲惨な出来事が全国に広がっていったのです。

紅衛兵たちのスローガンは「造反有理」でした。反逆には道理があるという意味で、これは毛沢東から紅衛兵に宛てられた手紙にあった言葉でした。毛沢東にとっては党内の自分に反対する勢力、つまり劉少奇や鄧小平《とうしょうへい》らを追い詰めるための文化大革命でしたが、毛沢東のお墨付きを得た紅衛兵は、暴走を続けます。

共産主義において、宗教は否定されます。寺は紅衛兵の攻撃対象になりました。紅衛兵たちは中国のありとあらゆる宗教施設を破壊し始めるようになります。貴重な経典が焼かれてしまいました。チベットではチベット仏教の貴重なものも次々に破壊されることになってしまったのです。

そしてついには、警察までもが彼らに手を出さないようになります。北京の首都警察が「紅衛兵たちは革命の最先端を進んでいるから、行き過ぎた行為があっても警察は関与してはいけない」との指示を出しました。具体的には、「一、公安機関は紅衛兵の暴力や殺戮を表立って制止してはならない。二、大衆が悪人に対する恨みを晴らすのを無理に止める必要はない。三、紅衛兵が家宅捜索をする手助けをするように」というものでした。

結果的に紅衛兵のすることは誰も止められない状態になってしまいます。例えば紅衛兵たちが役所の幹部たちを吊し上げて、ときにはビルの上から突き落としたりして死者が出ます。しかし、警察は捜査をしません。そのうちに紅衛兵たちの間で派閥争いまで起こるようになります。それぞれのグループで革命の方針をめぐって対立が起き、紅衛兵同士の内ゲバに発展していくのです。

紅衛兵同士の殺し合いが起きる。しかし、警察は一切捜査をしない。紅衛兵はやりたい放題の状況になります。そのころ香港の海岸に、後ろ手で縛られ、明らかに拷問をされて殺された遺体が次々に流れ着くという出来事がありました。潮流から考えて、中国国内で殺され、川に投げ捨てられて海に流れ、それが香港にたどり着いたと推測されました。当時の中国は鎖国のような状態で、国内の様子が全くわかりませんでした。文化大革命が成功し、紅衛兵が活躍しているという報道はありましたが、それ以外、何も情報が入ってきませんでした。それにもかかわらず次々と拷問され殺された遺体が流れ着いてくる。何かとんでもないことが起きているのだろうと推測はされたのですが、よくはわかりませんでした。

文化大革命による被害は正確にはわかっていません。一九七八年、中国共産党の第十一期中央委員会第三回全体会議では、文化大革命でどれほどの被害があったのかという共産党の正式な報告書が出ています。文化大革命中、四〇万人が死亡し、一億人に被害が及んだというのが中国側の公式な見解です。ただし、これはあくまで内部文書であって一般に公開されているものではありません。共産党は四〇万人と言っていますが、外部の研究者などによると、死者は一〇〇〇万人に達する、とも言われています。

## 文化大革命が残したもの

文化大革命の最中に、ある大学生が定期試験で答案用紙を白紙で出す、という出来事がありました。たぶん試験ができなかったのでしょう。すると、そのことが「実に革命的な行為である」と新聞で称賛されました。「これまでの腐敗した教育制度に対する反撃である。素晴らしい」と評価されたのです。すると何が起こるか。全国の大学の試験で、学生がみな答案用紙を白紙で出すという事態になりました。

やがて、「今は革命のときだ。学校で授業なんかを受けている場合ではない」ということになり、全国の小中高校、大学は機能がすべてストップします。一切授業が行われなくなりました。結果的にこの時代に学生だった人たちは、基本的な教育を受けていないのです。一九四〇年代から一九五〇年代にかけて中国で生まれた人たちには、読み書きが満足にできない人が多くいるのです。

文化大革命は毛沢東の権力奪還闘争であり、それによって指導的立場の人や知識人をはじめとする大勢が犠牲になりました。

一九六八年、劉少奇は失脚し、投獄されて病気になっても治療が受けられないまま翌年亡くなります。鄧小平も地方に追いやられ、毛沢東の権力奪回は成功します。すると一九六九年、毛沢東は突然、「知識青年が農村へ行き、貧農下層中農の再教育を受けるのは、大変必要なこと」と述べました。知識青年とは紅衛兵のこと。頭でっかちにならず、革命は地方の農民に学べということで、都市で暴れて手に負えなくなった学生たちを、電気も通っていない辺鄙な農村に追いやり、重労働をさせることにしたのです。これを「下放」といいます。その数は二〇〇〇万人。多くの学生が過労から病死に至りました。また女子学生は「性の対象」として暴行を受けたり、強制的に嫁にさせられたりして、その結果、精神に異常をきたして自殺する学生も数多くいました。

## 社会主義市場経済

毛沢東に追放されていた鄧小平でしたが、実は毛沢東は鄧小平の能力を買っていて「鄧小平の安全は守れ」という指示を出していました。その結果、文化大革命で大勢の党幹部が失脚し処刑されたりする中、鄧小平は無事に生きのびていました。そして一九七六年に毛沢東が死去すると、中央に復帰し、着々と権力を固めていきます。

その鄧小平が国家を立て直すために打ち出したのが「改革開放政策」。このときの改革とは、社会主義経済を変えていくというもの。つまり、資本主義を取り入れるということで、開放とは、それまで鎖国のような状態だった中国に、海外資本を入れ、工場を誘致し、外貨を獲得して豊かな経済を目指すことでした。

このとき中国がとったのが「合弁企業」をつくるという方法です。外国の企業が中国で会社をつくる場合、中国側と一緒になって合弁企業という形にする。企業の株の五十一％は中国側が握り、外国側が持つのは四十九％。ということは、その外国の企業と中国側がもし対立した場合、五十一％の株を持っている中国側が必ず勝つ仕組みです。しかし、たとえ不利な条件の合弁企業でも、安い労働力が得られれば利益が見込めますから、海外から次々に企業がやってきます。

こうして海外の企業が中国に工場をつくり、安い労働力でさまざまな製品ができます。そのうち外国企業と中国側が対立するようになると、その企業は追い出され、また新たな企業がやってくる。この間に、中国の労働者たちは、さまざまな技術を身につけていくことになります。そして中国の技術力は飛躍的に向上し、品質の確かなものがつくられるようになっていきます。

それまで社会主義は計画経済、資本主義は市場経済と分けられていました。社会主義においては、国家が経済計画を決め、それに従って生産するという形で、生産量も価格も国家が決定します。一方の市場経済は、市場（マーケット）の需要と供給によって生産量も価格も変わってきます。ところが鄧小平が打ち出したのは「社会主義市場経済」という政策。つまり、共産党の支配の元で市場経済を活発に行う方法です。「資本主義を導入できるところは積極的に取り込み、しっかり稼ごう。ただし、共産党のコントロールの下で」というわけです。

鄧小平は「先富論」を唱えます。まずは北京や上海などの都市部から豊かになろう。そういう都市でみんなが豊かになれば、やがて内陸部の貧しい地域も次第に豊かになっていくだろうという理論です。これによって沿岸部は急激に経済成長を果たしました。しかし内陸部は遅れたままで、格差が拡大することになりました。現在の中国は実に大変な所得格差が生じていて、大きな問題になっています。

## 天安門事件と反日感情

改革・開放路線が続くと、海外からさまざまな情報が入ってくるようになります。女性はパーマをかけ、スカート姿が目立つようになり、男性も背広姿になっていきます。学生たちは、中国の民主化がまるで進んでいないことに不満の声を上げ、民主化運動が高まります。一九八一年に共産党主席になった胡耀邦《こようほう》は民主化要求を容認しますが、共産党の保守派はこれを認めず、胡耀邦は辞任に追い込まれます。

一九八九年五月、ソ連のゴルバチョフ書記長が中国を訪問することになりました。ゴルバチョフ書記長は、就任以来、東欧諸国の民主化を容認し、アメリカとも関係改善に動き出していました。この中国訪問も、中ソ対立を終結させて新たな関係をつくり出すのが目的でした。

この流れに乗るような国内の民主化運動に、共産党幹部は危機感を抱きます。総書記（このときから共産党主席は共産党総書記に呼び名が変わっている）は運動を容認する趙紫陽《ちょうしよう》でしたが、鄧小平の指示を受けた共産党の機関紙『人民日報』は、学生運動を「動乱」、つまり反革命運動だと決めつけます。

ゴルバチョフ書記長の中国訪問、そして中ソの和解は歴史的瞬間になるはずで、世界中からメディアが押し寄せます。民主化運動を盛り上げようとする学生たちにとって、ゴルバチョフ訪中は絶好の機会に見えました。「天安門広場に集まって民主化を要求しよう。世界中のメディアがいれば、共産党も勝手なことはできないだろう」というわけです。

また民主化を容認し、失脚した胡耀邦が四月に亡くなったことも学生たちを刺激していました。胡耀邦追悼の声が高まり、天安門広場には学生や市民が集まるようになっていました。

ゴルバチョフ訪中前の五月十三日からは、天安門広場に一〇〇〇人ほどの学生が集まり、ハンガーストライキに入りました。海外からの国賓が訪れた場合、記念式典は通常天安門広場で行われるのですが、学生たちが広場を占拠していたため、五月十五日のゴルバチョフの歓迎式典は空港で行われることになりました。共産党も政府も、面子をつぶされたかたちになりました。

趙紫陽は五月十六日のゴルバチョフとの会談で、驚くべき発言をします。「鄧小平の引退は表向きであって、中国共産党は常に鄧小平の指示に従っている。学生たちの民主化運動を動乱だと決めつけたのは鄧小平だ」と述べ、この発言が生中継の電波によって全国に伝わったのでした。

放送を機に人々は立ち上がります。放送の翌々日、天安門広場とその周辺の道路は、民主化運動を支援する人々で埋め尽くされました。整列すれば五〇万人、詰めれば一〇〇万人収容できるという天安門広場が人でいっぱいになりました。

五月十九日、まだ夜が明けない天安門広場に、ハンドマイクを手にした趙紫陽は現れ、学生たちに話しかけました。「若い君たちには将来がある。国のためによかれと思ってやっていても、各方面に重大な影響を及ぼしている。冷静に今後のことを考え、ハンストをや

1989年5月19日、天安門広場は民主化を求める学生たちで埋め尽くされた

めてほしい」。この様子はニュースで報道されましたが、テレビに映る趙紫陽の姿はこれが最後でした。趙紫陽は失脚し、李《り》鵬《ほう》首相が党を代表することになります。

六月四日午前四時一〇分、天安門広場の電灯が一斉に消され、真っ暗になります。そして四時三〇分、赤色の信号灯が打ち上げられます。これを合図に、戦車や装甲車が一斉に天安門広場に突入しました。学生たちの民主化要求の運動が、戦車によって踏み潰されたのでした。

戒厳令を布告したのも、人民解放軍を投入して学生たちを排除させたのも鄧小平でした。このときの鄧小平の肩書は、中国共産党中央軍事委員会主席というものでした。総書記でも国家主席でもなかったのですが、彼の命令で人民解放軍は動きました。

こうして天安門広場にいた学生たちを排除し、長安街でそれに抗議する人たちに対しても、人民解放軍が無差別銃撃をするという悲惨な事件が起きたのでした。いったいどれだけの人が殺されたのかははっきりしていません。中国側は「死者三一九人、負傷者九〇〇〇人」と言っていますが、実際にはそれより遥かに多かったといわれています。天安門広場や長安街で家族を軍隊に殺された、などと届け出れば、残された者にも危険が及びます。ですから、死亡者は交通事故死や病死として届けられたケースが多かったようです。

当時、イギリス大使館が本国に電報を送っています。中国政府は天安門広場での犠牲者を一万人と見積もっている、という報告でした。こういう事件を知られたくない中国共産党は、「六四情報」を封印しているのです。

この事件以降、中国は徹底した「愛国教育」をほどこすことになります。中学校や高校では、歴史の授業が増やされ、中国は帝国主義の日本によってもたらされた屈辱の時代をいかに耐え、抗日戦争と解放戦争をどのように戦って勝利したかを教えます。共産党の政治的正統性を高めるために、日本がどれほど中国でひどいことをしたか、その日本を共産党がどう戦って打ち負かしたかを教育で浸透させます。こうした教育が、結果的に国民に「反日感情」を植え付けたのです。

学生からの質問

Q 世界の国の中で、今も共産主義を維持している国というのは、どれくらいあるのでしょうか。

A まずはキューバですね。キューバ共産党は一党独裁政権を維持しています。それからベトナム。ベトナムはベトナム共産党の一党独裁です。そしてラオス。ラオスは人民革命党の一党独裁。北朝鮮も朝鮮労働党の事実上の一党独裁ですが、ただ、北朝鮮は社会主義あるいは共産主義とは言えなくなっている。むしろ、金王朝の独裁政権で、封建社会のような状態になっています。

Q 中国人が共産党員になるには、どうすればいいのでしょうか。そして党員にメリットがあるなら、なぜもっと多くの人が党員にならないのかを教えてください。

A

中国共産党は、誰でもウエルカムというわけではありません。十三億人を指導する政党ですから、よほど能力が高い者でないと入党することはできません。例えば高校生あるいは大学生で、学業成績が非常に良かったり、あるいは仲間から信頼されたりするような人がいると、共産党の下部の青年組織に中国共産青年同盟というものがあり、「そこに入らないか」とまず誘われます。そこに加わって共産青年同盟の活動をしながら、しかも学校の成績も上位ならば、やがて「共産党に入らないか」と誘いを受けます。当然のことながら、共産党員としての活動もしなくてはならないので、実はかなり大変です。

だけど、そこに入るとエリートコースに進めるわけですよね。逆に「共産党に入らないか」と誘われて断ったりすると、反共産党の烙印を押されてしまい、中国での社会的な人生が終わってしまう危険性もあるということです。

中国の場合、出世するためには共産党に入らなければいけない。しかし実情は、イデオロギーを持っている人は多くはありません。例えばソ連という国でも、ソ連共産党が圧倒的な力を持ち、何千万人という共産党員がいました。ところが、ソ連が崩壊した瞬間、共産党員はほとんどいなくなりました。つまり、大半が出世のために入っていたわけで、ソ連という国がなくなったら、共産主義の理想を目指す人はほとんどいなくなっていました。基本的に社会主義国の共産党員は、出世が目的で入っている人たちが圧倒的に多いのです。

Q 以前上海に住んでいて、友人がSNSに政府を批判する内容を上げたのですが、すぐに政府機関から電話がかかってきました。友人は日本語で書いたのですが、サイバーポリスは外国語にも対応しているということですか。

A もちろんそうです。サイバーポリスには、いろいろな国の言葉ができる人がいます。中国語だけをチェックしているわけではなく、英語はもちろん、日本語や韓国語など、あらゆる言語の書き込みを二十四時間体制で監視しているのです。

以前は、批判を書くだけだと電話がかかってくるようなことはありませんでした。もちろん削除はされますが。だから、「共産党の悪口を言うぐらいなら問題ないよ。だけど、共産党体制を打倒しようなどというと捕まるよ」と言われていました。ところが、習近平体制になってからは、多少の悪口でも取り調べを受けるようになっています。締め付けが強くなっているようですね。

第七章

# 朝鮮半島問題

## 北朝鮮はどんな国？

北朝鮮、朝鮮民主主義人民共和国には二〇〇六年と二〇一一年の二度、取材で訪れましたが、そのときのことをまずお話しします。

空港に到着すると、二人の案内人が待っていました。流暢で、でもやや古風な、昭和を思い出させるような日本語を話す二人でした。どこへ行くにも、何をするにも、彼らの付き添いが必要です。とにかく勝手な行動はしないようにと、きびしく言われます。

首都のピョンヤン（平壌）には外国人が宿泊できるホテルが二軒あります。高麗ホテルと羊角島国際ホテルです。一度目に泊ったのが高麗ホテルでした。外国人専用ホテルで、部屋は広々したスイートルームでした。清潔な感じのベッドルームにバス、トイレ。一見どこも変わらない部屋なのですが、ちょっと変わっていると思ったのは、片方の壁が一面鏡になっていることでした。姿見には十分すぎるほど。

一人でホテルを出ていこうとすると、ホテルの玄関には正体不明の男たちがうろうろしていて、たちまち声をかけられ、ホテル内に連れ戻されるようになっています。顔だけでは見分けがつかないだろうと思うのですが、彼らは全員「金日成《キムイルソン》バッジ」をつけているので

ピョンヤンの高層アパート群

すね。つまり、「金日成バッジ」がない私たちは、よそものだとすぐにわかるようになっているのです。案内人もホテルに泊まり、二人は同室です。案内人がなぜ二人同室なのかというと、私たちから個別に質問されて国内の情報を漏らしたりしないように、つまり相互監視をしているということ。我われ外国人も監視しながら、同僚も監視しているのです。

滞在中、とくにお願いしていたわけでもないのに、案内人に突然、「一般家庭を訪問しましょう」と言われました。「まあ、一般家庭のはずはないな」と思いながら、取材クルーと一緒について行きます。

そこは二十六階建ての高層アパートでした。ピョンヤンには見分けがつかないほどよく似た高層アパートが立ち並んでいます。そのうちの一つの二十階あたりにエレベーターで上がっていきました。

そのお宅には、最新の家電製品が揃っていて、いかにも「一般家庭じゃない」雰囲気でした。テレビ取材なので、クルーが炊事風景を撮らせてもらえないかとお願いしました。その家の主婦がキッチンに立ち、炊事を始めようとしたときでした。ディレクターが「ここは水が出るんですか」と聞いたのです。なんて失礼なことを聞くのか、と思いながら見ていると、その主婦が怒って答えました。

「ちゃんと出ますよ、一日二回」

ふと気づいてみると、部屋に水をためたポリバケツがありました。つまり電力が不足していて常に高層階まで水を上げることができず、一日二回、朝夕だけ電気が通って水道が使えるということだったのです。

撮影が終わってエレベーターを待っていると、横の階段を何人もが降りていきます。エレベーターは動かないのがふつうで、我々がやってきたから動かしたことに気がつきました。

我々の取材班ではなかったのですが、過去に日本の取材クルーが部屋で荷造りをする際、ホテルのタオルを失敬したところ、ロビーで従業員に「タオルを盗んだでしょう。返しなさい」と言われたそうです。何のために鏡があるかわかりますね。

ある人は、「ホテルの食事が美味しくない。寿司が食べたい」などと独り言をいうと、次の食事には寿司が出てきたということでした。私は壁一面の鏡を姿見として使っていましたが、風呂上りには真っ裸で部屋をうろうろしたのを後悔しました。

## 金日成と朝鮮半島の分断

金日成というのは本名ではありません。金成柱《キムソンジュ》が本名です。金成柱は、一九一二年四月十五日にピョンヤンの郊外に生まれました。韓国併合により日本が朝鮮半島の統治を始めたのが一九一〇年で、その二年後でした。父はキリスト教徒の医師で、民族主義運動に参加して投獄されたことがあり、出獄してからは中国の満州に逃れました。金成柱も満州に移り、中国人のための中学校で学びました。

当時の満州には朝鮮人が多く住み、抗日運動に参加する朝鮮人は中国共産党に入党し、中国人と行動を共にしていました。金成柱はこの頃に中国共産党に入党し、金日成を名乗るようになったようです。「日成」は「太陽に成る」という意味で、「朝鮮人民の太陽になれ」と仲間に言われて、この名前になったとされています。

一九三二年、金日成は朝鮮人部隊を組織し、朝鮮半島北部で日本を相手にゲリラ活動を展開。日本の治安部隊に追われてソ連領内に逃げ込みます。これが一九四〇年です。

ここで生まれたのが「ユーラ」と「シューラ」という二人の息子。ロシアで生まれたためにロシア名がつけられましたが、長男の「ユーラ」が金正日《キムジョンイル》です。ちなみに弟の「シューラ」は幼い頃に池で溺死したとされていて、朝鮮名はつけられていません。

日本と中立条約を結んでいたソ連でしたが、一九四二年になると対日戦争を視野に入れ、金日成のいる朝鮮人部隊をソ連赤軍に編入します。金日成はソ連軍の大尉となりました。

一九四五年八月、ソ連は日ソ中立条約を一方的に破棄して日本に宣戦布告、朝鮮半島北部を占領します。ここにソ連の言うことを聞く国家の建設を計画します。そのためには、ソ連の言うことを聞く朝鮮人の代表が必要になります。そこで金日成に白羽の矢が立ったのです。

第二次世界大戦後、国連は朝鮮半島に民主的な国をつくろうとしました。朝鮮人が自由な選挙で代表を選ぶ民主国家です。しかしこれにソ連が反対します。ソ連は親ソ国家以外の国と国境を接することを極端に恐れ、それを避けるために金日成を指導者とする国づくりを進めていたのでした。

こうして朝鮮半島は北緯三十八度線で南北に分断されることになり、南には大韓民国、北には朝鮮民主主義人民共和国が建国されました。

北朝鮮と中国の国境に白頭山《ペクトゥサン》という山があります。日本人が富士山に特別な思いを寄せるように、朝鮮半島の人たちにとって白頭山は特別な山で聖地と崇《あが》められています。北朝鮮の公式の伝記では、金日成はこの白頭山にこもり、そこを拠点に日本軍と戦ったことになっています。ですから息子の金正日も白頭山で生まれたとされています。そのとき、「金日成のあとを継いで朝鮮人民を指導する新たな人が誕生した」と人々が喜んで、その言葉を木の幹に刻み、それが後に発見されたのだそうです。風雨にさらされてはいけないと、現在はガラスケースにおおわれていますが、発見以前はどんな状態だったのでしょうか。

## 金日成のコンプレックスから始まった

北朝鮮という国ができ、首相となった金日成でしたが、自分の力で国をつくり上げたわけではありません。日本の敗戦によってソ連主導のもとにできた国のトップに、たまたま置かれただけでした。これが金日成の大きなコンプレックスになっていました。どこかで自分の力を見せ付けたいと思うようになります。それが、武力による朝鮮半島の統一でした。これを果たせば、自分の実力を誇示できると考えるようになります。

そこで、北朝鮮の後ろ盾であるソ連のスターリンと、中国の毛沢東に、大韓民国攻撃の許可を求めます。スターリンも毛沢東もアメリカを刺激したくないため、なかなか応じようとはしませんでしたが、度重なる金日成の説得により、南への攻撃が認められます。

一九五〇年六月二十五日、北朝鮮人民軍は北緯三十八度線を一気に越えて、韓国に攻め込んできました。朝鮮戦争の勃発です。

中国の人民解放軍には朝鮮半島出身の兵士も多くいて、中国内戦時に国民党軍と戦った実戦経験豊富な朝鮮系の人民解放軍一万七〇〇〇人が、兵器や装備ごと送り込まれていました。北朝鮮軍はたちまち大韓民国の首都ソウルに迫り、南へ後退を余儀なくされた韓国軍は、北朝鮮軍の追撃を遅らせるために漢江《ハンガン》に架かる漢江大橋を爆破します。このとき、橋には家財道具などを運びながら逃げるソウル市民がいて、大勢の犠牲者が出ています。

北朝鮮軍の勢いは止まることなく、韓国軍は釜山周辺のほんの一部に追い詰められ、あとわずかで半島は北朝鮮に占領される状態になったのでした。

一九五〇年の七月七日、国連安全保障理事会は国連軍の派遣を決議します。その国連軍の中心はアメリカで、日本に駐留していた七万五〇〇〇人のアメリカ兵が急遽派遣されます。アメリカは北朝鮮軍の背後に兵を送り、北朝鮮軍の補給路を絶つ作戦をとります。これが功を奏し、食料や武器の補給がなくなった北朝鮮軍は統制がとれなくなります。戦況は一変し、国連軍は北朝鮮軍を押し返し、一〇月にはピョンヤンを占領します。今度は北朝鮮軍が中国との国境地域に追い詰められました。

ここで中国は「人民義勇軍」の名のもとに正規軍を送り込んで北朝鮮を支援します。中国が参戦したとなれば、第三次世界大戦に発展するおそれもあり、あくまで「義勇軍」だと主張したのでした。

このとき、毛沢東の息子、毛岸英《もうがんえい》も「義勇軍」の兵士として参加し、戦死しています。彼の上官としては、国家主席の息子を危険な最前線に送るわけにはいかず、後方にとどめおいていたのですが、たまたまそこが米軍に空爆されて死亡したのでした。

この戦争において、アメリカ軍が初めて実戦投入したのがジェット戦闘機でした。これに対し、北朝鮮軍もジェット戦闘機を使って空中戦が行われました。北朝鮮の国旗をつけたジェット戦闘機はソ連のミグ戦闘機で、乗っていたのも北朝鮮の軍服を着用したソ連軍パイロットでした。

人海戦術で国連軍を押し戻した北朝鮮軍と中国軍はピョンヤンを奪回し、そのままの勢いで再びソウルを攻撃します。一進一退の膠着状態が続き、一九五一年六月二十三日、ソ連から休戦会談の提案があり、二年後の一九五三年七月二十七日に、ようやく休戦協定が結ばれたのでした。

## コラム 今も北朝鮮の攻撃に備える

現在、漢江に架かっている橋は、すべていつでも爆破できるようになっています。さらに軍事境界線の近くに行くと、高速道路の上に数多くの人工のトンネルがつくられています。これも道路を爆破するための施設で、北朝鮮の攻撃に対してすぐに対応できるようになっているのです。

### 緩衝地帯を求めるソ連と中国

日本が朝鮮半島を統治していた頃、国境あたりのソ連領内には、多くの朝鮮民族が住んでいました。この朝鮮民族が日本のスパイ活動にかかわることを恐れたスターリンは、彼らをカザフ共和国に送ります。中央アジアの砂漠地帯、現在のカザフスタン（当時はカザフ共和国）に強制的に移住させたのでした。

スターリン時代、カザフスタンに多くの民族が強制的に移住させられた

ちなみにこのカザフスタンには、朝鮮民族だけでなく、第二次世界大戦のときに、大勢のチェチェン人も強制移住させられています。これも、チェチェン人がナチス・ドイツの味方をするのではないかと、スターリンが恐れた結果です。カザフスタンにさまざまな人種が住んでいるのは、こうしたスターリンの強制移住の政策によるところが大きいのです。

第二次世界大戦で、ソ連は二七〇〇万人の死者を出しています。日本は三一〇万人ですが、ソ連は二七〇〇万人。このことがスターリンのトラウマとなり、全ての国境周辺には、ソ連の影響下にある国を置きたがるようになりました。北朝鮮がなくなり、アメリカの影響を受ける韓国と国境を接することを望まなかったのです。朝鮮戦争で北朝鮮が敗北し、アメリカが基地を置くような韓国が隣接する状況になるのは、スターリンにとっては悪夢だったのです。

これは中国にとっても同じこと。アメリカをはじめとする西側諸国と国境を接するのは、できるだけ避けたいと考えています。ですから、あくまで緩衝地帯として北朝鮮という国を存続させたいのです。

こうして北緯三十八度線あたりに入り組んだ軍事境界線が引かれました。あくまで休戦という戦争を休んでいる状態なので、国境は確定していないのです。この軍事境界線の南北二キロメートルずつは、軍事施設も兵士も置かない非武装地帯になっています。

## 北朝鮮のテロ攻撃

結局、軍事力で南北を統一するという金日成の野望は挫折しました。しかし、何としても韓国を崩壊させ、北朝鮮と統一させたいという思いがあり、その後、韓国に対するさまざまなテロ行為を行います。

そのためにつくられたのが、軍事境界線の下に掘られたトンネルです。「南侵トンネ

北朝鮮から軍事境界線を越えて掘られた「南侵トンネル」

ル」と呼ばれています。これを使えば、北朝鮮の何万もの軍隊を一気に韓国領内に送り込めるのです。もちろん休戦協定に違反していますし、北朝鮮はその存在を認めていません。

韓国側が発見したのは四本のトンネルで、そのうち二本は一般に公開されています。北朝鮮から韓国に逃げてきた兵士の証言では、二十数本の南侵トンネルがあるということです。

一九六八年、韓国の大統領官邸が襲撃される事件が起きました。青瓦台《せいがだい》襲撃未遂事件です。大統領官邸はその瓦が青いため、青瓦台と呼ばれています。その青瓦台の北側の山中を韓国軍の制服を着た部隊が行進していました。実はこの部隊は韓国軍に扮装した北朝鮮の特殊部隊でした。

彼らは北朝鮮で徹底的な教育を受け、「韓国はアメリカの統治下にあり、支配されていることによって、韓国の人たちはまるでアメリカ人の奴隷のような状態で、貧しい苦しい生活をしている。その韓国の人々を解放するのが役目だ」と教え込まれていました。ところがソウルに近づいてみると、光まばゆい大都市の夜景があります。

韓国は貧しく、近代化も遅れていると聞かされていた兵士たちは戸惑います。つい、山中にいた韓国住民に「ソウルはどっちの方角か」と尋ねます。ソウルの夜景が見えているのに、韓国軍の制服を着た軍人が「ソウルはどっちの方角だ」というのですから、住民は怪しみます。彼らが去った後、住民は警察に通報します。

部隊が青瓦台近くまで来たところで、通報を受けて待ち構えていた警察が彼らを呼び止め、「お前たちは何者だ」と質問します。兵士たちは自分たちの正体が発覚したと思い、銃撃を開始。やがて駆けつけた韓国軍と銃撃戦になりました。

結局、三十一人のうち二十九人が殺害され、一人は逃亡、一人が捕虜になりました。この一人の捕虜の取り調べから、北朝鮮軍の攻撃だということが分かりました。成功していれば、韓国軍の兵士たちがクーデターを起こし、大統領を殺害したことになるところだったのです。

さらには一九八三年にも、ミャンマーで北朝鮮による韓国大統領の暗殺未遂事件が起こっています。

当時のビルマを訪れた全斗煥《チョンドファン》大統領が標的でした。ビルマ建国の父はアウン・サン将軍で、アウン・サン・スー・チー氏の父。国賓として招かれた要人は、アウン・サン将軍のお墓であるアウン・サン廟にお参りに行くのが決められた行事になっていました。

事前にビルマに入っていた北朝鮮の工作員がこのアウン・サン廟に爆弾を仕掛け、全斗煥大統領が到着したところで爆破させる計画でした。

アウン・サン廟に全斗煥大統領が到着し、そのときに始まる音楽隊の演奏が爆破の合図でした。ところが全斗煥大統領の車列が渋滞でしばらく遅れ、音楽隊は到着までの時間に練習をすることになりました。その事情を知らない北朝鮮の工作員は、練習の演奏に合わせて起爆スイッチを押し、待機していた韓国の閣僚を含む十七人と、ビルマの政府関係者四人が犠牲になったのでした。

三人の工作員のうち一人は射殺され、負傷した二人が逮捕されました。この二人の尋問から、北朝鮮が全斗煥大統領を暗殺しようとしていたことが明らかになったのです。

そして、一九八七年、大韓航空機爆破事件が起きます。翌年の一九八八年はソウルオリンピックが開催される予定でした。そこで金正日は、韓国の発展が世界に知れ渡るのを阻止し、韓国がいかに危険なところかを示すために大韓航空機の爆破を命令します。

イラクのバグダッド発、アブダビ経由ソウル行きの大韓航空機は、アブダビを飛びたった後、ビルマの上空あたり、アンダマン海というところで空中爆発し、一一五人の乗員乗客が全員死亡します。これが大韓航空機爆破事件です。空中で爆発しているわけですから、明らかにテロだと分かり、アブダビで降りた不審な日本人親子が容疑者として浮上します。追跡の結果、二人はアブダビから飛行機を乗り継いでバーレーンに行ったことがわかります。バーレーンの警察とバーレーンの日本大使館員が、その親子を見つけ出し、取り調べをしようとした途端、父親と称していた男が口の中に入っていた青酸カリのカプセルを噛んで自殺します。娘も青酸カリで自殺しようとしますが、バーレーンの治安部隊が口の中に手を突っ込み、青酸カリのカプセルを噛むのを阻止。これによってその女性は自殺できませんでした。

女性は蜂谷真由美という名前の日本のパスポートを持っていたのですが、パスポート番号を照会したところ、日本の全く別の男性のパスポート番号でした。偽造されたパスポートだったのです。

彼女は「私は蜂谷真由美という日本人だ」と言い張りますが、日本語がたどたどしい。北朝鮮のスパイではないかという疑いのもとに、女性の身柄は韓国側に引き渡されること

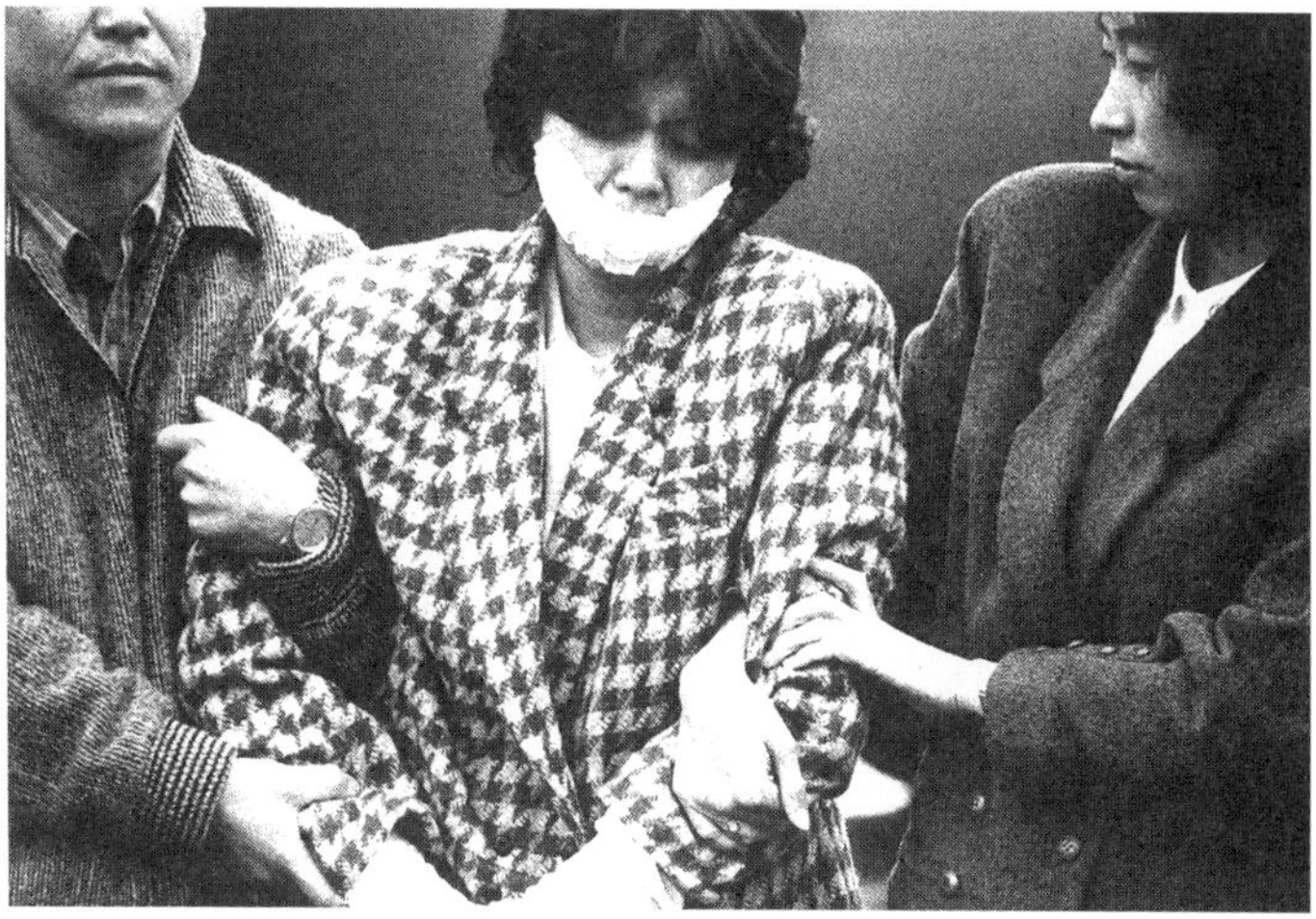

1987年、大韓航空機爆破事件を実行した北朝鮮の工作員、金賢姫

になりました。

韓国の取調べに対して蜂谷真由美だと言い張る女性でしたが、捜査官は彼女にソウルの夜景を見せます。これは北朝鮮のスパイを自供させるのに韓国がよく使う手法です。貧しい韓国を救うために活動しているのだと教え込まれた北朝鮮の工作員は、ソウルの夜景を見て韓国の豊かさを知り、自分たちが国家に騙されていたことを理解するのです。これによって蜂谷真由美は「私は金《キム》賢《ヒョン》姫《ヒ》という北朝鮮の工作員である」と自供します。

金賢姫に日本語を教えたのは、李《リ》恩《ウ》恵《ネ》という女性で、日本人だったことがその後わかります。李恩恵は東京に住んでいて、男の子を残したまま北朝鮮に連れてこられた、ということも金賢姫に話していました。日本の警察の捜査で、李恩恵は一九七八年に行方不明になっていた田口八重子さんと判明します。これによって日本人が北朝鮮に連れ去られて日本語教育の要員になっていることが分かり、日本人拉致事件が明るみに出るのです。

北朝鮮としてはなんとか韓国を転覆させようと工作員を送り込んだけれど、次々に摘発されてしまう。ならば国交もあり自由に韓国に入国できる日本人を装えば、行動が楽になると考えたのでした。そのために日本人を拉致し、日本語の教育係にしていたのです。

## 独裁国家の政策

国のトップが絶対的な権限を持ち、国民が不幸になるというのは、北朝鮮に限ったことではありません。中国の毛沢東にしても、ナチス・ドイツのヒトラーにしても、絶対的なカリスマ指導者には誰も逆らうことができず、無知な政策が悲劇を生んでいます。

北朝鮮に対しては、昔から貧しいというイメージを持つ人が多いのですが、実はそうではありません。

朝鮮半島北部には険しい山が多くあり、日本が統治していたときにこの山からの豊富な水の流れを利用して水力発電所が建設されました。この電力によって半島の北部では工業が発展し、工業地帯として栄えていたのです。

一方、朝鮮半島の南部は温暖な気候を利用した、農業中心の地域でした。朝鮮半島が分断されるまでは、北は工業、南は農業を産業として運営されていました。南北に分かれた結果、北は進んだ工業国として、南は遅れた農業国としてスタートしたのです。第二次世界大戦が終わった段階では、ヨーロッパも日本も焼け野原になっていて、工業地帯が破壊されていなかったのはアメリカと北朝鮮だけだと言ってもいいほどでした。そのため、北朝鮮は豊かな国だったのです。工業地帯を有した北朝鮮が変わっていくのも、絶対的な権力者による政策が原因でした。

権力と権威を完全に手に入れた金日成が打ち出したのは、「主体《チュチェ》思想」というものでした。これは、ソ連のやり方でも中国のやり方でもない、北朝鮮独自の革命を進めていくという考えで、あらゆる分野に「主体」が適用されることになりました。農業においては「主体農法」という政策がとられ、他国の支援を必要としない独自の農業発展を目指しました。しかし、その中身は素人同然の発想だったのです。農村地帯に視察に出かけた金日成は、耕地の拡大のためにこう指示します。

「山が森で覆われている。何ともったいないことをしているんだ。山の木を全部切り倒し、ここに段々畑をつくりトウモロコシを植えれば、食糧が増産できるだろう」

この一言で、農民をはじめ都市の労働者や学生までもが動員され、国中の山々で木が切り倒されます。斜面をけずり、そこに段々畑がつくられて、トウモロコシが植えられました。しかし、山の木は非常に重要な役割を果たしています。森には保水能力があり、大雨が降っても水を蓄えて洪水を防ぎます。また、日照りが続いても、たちまち干ばつになることはありません。

しかし、北朝鮮では金日成の指導のもとに山の木をほとんど切り倒してしまいます。その結果、少しでも雨が降ると、すぐに土砂崩れや崖崩れが起きるようになり、トウモロコシの段々畑も一瞬にしてつぶれてしまいました。

山の斜面の段々畑が崩れると、麓《ふもと》の畑や田んぼにも土砂が流れ込み、使いものにならなくなってしまいます。さらにはその土砂が川に流れ込んで川底に溜まると、流れがせきとめられて川は氾濫します。河口まで流れ着いた土砂は沿岸部の海底を覆い、魚の産卵場所になっていた海藻を全滅させ、沿岸漁業まで壊滅状態になってしまうのでした。このように、農業や自然環境についてまったく知識のない指導者の発想から、森林が伐採されただけで自然破壊が起こり、農業が生産力を失い、漁業にまで深刻な影響を与えることになったのです。

私が二度目に北朝鮮を訪れたのは、秋の収穫シーズンでした。農村地帯に行って驚いたのは、舗装道路の上に刈り取られた稲がずらっと並べられている光景でした。最近の日本では、稲を乾燥させるのに乾燥機が使われるようになりましたが、以前は刈り取った田んぼに「稲架《はさ》」という細い丸太で組んだものに稲をかけて乾燥させていました。ところが北朝鮮には、この材木がありません。ですから、道路の舗装されたところに稲をならべて干していたのです。道路ですから、その上を人も車も通ります。明らかに収穫量は減ってしまうのですが、どうすることもできない状況です。

田畑が失われ、食糧の自給が追いつかなくなると、金日成は毛沢東にならって「密植」を奨励します。その結果がどうなったかは、説明するまでもありません。北朝鮮は、長く食糧不足に悩まされることになっていったのです。

## 日本からの「帰国事業」

日本が朝鮮半島を統治している間、大勢の朝鮮半島の人たちが日本にやってきて働いていました。日本が戦争に負けたことで、朝鮮半島出身者の多くが朝鮮半島に帰っていきました。しかし、日本に住んでいる間に、故郷に家族や親戚がなくなり、生活の基盤を日本に置くようになった人たちは、そのまま日本にとどまりました。さらには朝鮮戦争が始まってしまい、帰るに帰れなくなった人たちも多く日本に残りました。

その在日朝鮮人たちは、日本国内において差別を受けます。進学や就職においても日本人から差別されました。差別から逃れるために日本人の名前を名乗り、知り合いのつてで、安い給料で生活するしかないという人たちが大勢いたのです。その日本にとどまっていた朝鮮半島出身者に、北朝鮮は目を付けました。

一九五八年、在日朝鮮人たちが北朝鮮への帰国を求める運動が始まります。これに応えるように、北朝鮮は帰還を歓迎すると表明します。しかしこの運動は、北朝鮮が仕掛けたことで、朝鮮総連（在日本朝鮮人総連合会）に指示して在日朝鮮人による運動を始めさせたのでした。北朝鮮は朝鮮戦争によって労働者不足に陥り、日本からの帰国者によってそれを補おうと考えたのです。一九五九年に始まり、一九六八年からの三年間の中断をはさんだ二十五年におよぶ帰国事業で、九万三〇〇〇人以上が帰国しました。彼らと結婚し、日本国籍を持った日本人家族たち約六八〇〇人も北朝鮮に渡ったのでした。当時の日本では北朝鮮の実情を知ることは困難で、「医療費も無料で、誰でも無償で大学に進学できる、地上の楽園」という言葉に誘われて、希望を持って帰っていきました。

しかし、彼らを待っていたのは貧困と差別でした。祖国は日本よりもはるかに貧しく、帰国者たちは北朝鮮でも「帰胞」と呼ばれて差別を受けました。「話が違う」と抗議の声を上げれば、たちまち連行されて消息が絶たれました。

こういった帰国者の一部の人は、日本語教育に従事させられます。平壌外国語大学などで日本語を教えることになるのです。ですから、この章のはじめ、私が北朝鮮に行った際の二人の案内人について、彼らが古風で昭和的な日本語を話すと述べたのは、この時期に帰国した人や一緒に北朝鮮に行った日本人から、日本語を教わったということなのです。

## コラム 「絶対に来てはいけない」

「日本にいても差別されるばかりで、北朝鮮に行けば新しい人生があるかもしれない」と、すべての在日朝鮮人が期待を抱いたわけではなく、中には実情のわからない北朝鮮を疑問視する人もいました。ある人は、家族で行くにはリスクが高いので、まず父親である自分が一人で行き、本当に宣伝通りならばそのあとに手紙を送って家族を呼び寄せる、という方法をとりました。もし宣伝が偽りならば、手紙は検閲を受けるだろうし事実と違うことを書かされるかもしれないと考え、事実なら手紙は縦書き、そうでなければ横書きと決めて帰国します。その後、父親からの手紙には「聞いた通りの素晴らしい国だ」と書かれていましたが、横書きだったのです。

あるいは、そういう約束をしないまま北朝鮮に帰った人たちも、家族や友人が帰国しないように伝える工夫をしました。切手の裏側に小さな文字で「絶対に来てはいけない」と書いていたり、日本でどん底の生活を味わった土地の名前を出して、「〇〇町にいたときのような素晴らしい生活ができています」と書き、帰国を思いとどまらせようとしたのでした。こういうことが噂となって広がり、帰国を希望する人は減少していきました。

## 日本人拉致事件

一九七〇年代から一九八〇年代、日本の各地で行方不明事件や失踪事件が多発します。これが北朝鮮による犯行ではないかと疑われるようになったのは、一九八五年に韓国のソウルで逮捕された北朝鮮の工作員が持っていたパスポートが日本人のものだったからです。この工作員は五年前に宮崎県で拉致した人になりすまし、韓国で活動していたことが明らかになりました。

　さきほども述べた「大韓航空機爆破事件」では、実行犯の一人、金賢姫の証言から、李恩恵という名前の日本人が日本語や日本の習慣などを教えていたことがわかります。証言や似顔絵から国内で捜査をすると、一九七八年から行方不明になっていた田口八重子さんであると判明します。その後も連続して起きた失踪事件が捜査されますが、警察も日本政府も北朝鮮がかかわっていることを認めませんでした。

　この一連の失踪事件に北朝鮮が関与していると政府が認めたのは、一九八八年になってからのことでした。しかしそれでも、政府は北朝鮮に対して何の行動も起こしませんでした。

　一九九一年から、日朝国交正常化交渉が始まります。第三回の交渉で、日本側は初めて大韓航空機事件に触れ、金賢姫に日本語を教えたという李恩恵について調査を求めます。しかし、拉致事件はありえないと北朝鮮は強く反発し、交渉は第八回で中断されてしまいました。

　北朝鮮が日本人拉致を認めたのは、二〇〇二年、小泉純一郎総理大臣と金正日国防委員長との日朝首脳会談でした。金正日委員長は「特殊機関の一部の英雄主義に走った者の行為で、関係者はすでに処罰した」と語り、拉致があったことを認めて謝罪したのでした。

この背景には北朝鮮の深刻な食糧不足があり、拉致事件を認めることによって日本からのコメや医療支援を引き出そうというねらいがありました。

この会談によって北朝鮮で生存していた被害者五人が帰国を果たすことになりましたが、この問題が終わったわけではありません。いまだに安否不明の被害者が多くいて、調査も日本の期待通りには進んでいません。

## 核開発とミサイル開発

北朝鮮には、朝鮮戦争にアメリカが介入したことによって大打撃を受けたというトラウマがありました。アメリカに攻撃されたらひとたまりもないということを十分に知った戦争でした。そうなると、なんとかアメリカと交渉し、自国の安全を確保することが一大命題になります。

一方で、通常兵器では圧倒的にかなわないアメリカとの戦いを避けるためにも、核抑止力が必要だと北朝鮮は考えるようになります。核兵器を持ち、核抑止力で自国を防衛するのと同時に、核兵器でアメリカを脅すことによってアメリカを交渉の場に引き出し、直接交渉によって自国の安全を保障させる、という戦略があったのです。

しかし一九五〇年代当時、北朝鮮には核兵器の技術はありませんでした。そこで原子力開発のために、原子炉を提供してもらえるようソ連に依頼します。ソ連としては、北朝鮮の核武装は望んでおらず、あくまでも原子力の平和利用であることを要求。一九五六年に北朝鮮はこれを受け入れて基本合意が成立し、その後、ソ連から原子炉が供与されます。

一九八〇年代に入ると北朝鮮の核開発の疑惑が高まり、アメリカがソ連に対して、北朝鮮が核拡散防止条約（ＮＰＴ）に加盟することを求めます。これにより一九八五年、北朝鮮はＮＰＴに加盟します。ＮＰＴに加盟すれば、国際原子力機関（ＩＡＥＡ）の査察を定期的に受け、核開発が行われていないことを証明しなければなりません。しかし北朝鮮は、査察を拒否し続けます。

一九九三年、北朝鮮はＮＰＴからの脱退を宣言します。さらに翌年、ＩＡＥＡからの脱退も宣言。これによって世界は、明らかに北朝鮮の核開発が進んでいると考え、危機感をおぼえたアメリカは北朝鮮に対する先制攻撃まで考えます。ところがその事態をシミュレーションしてみると、アメリカ兵や韓国国民に多大な被害が出ることが判明し、当時のクリントン大統領は逡巡します。

この危機を打開するために登場したのが、アメリカのカーター元大統領でした。一九九四年六月、カーター元大統領は北朝鮮を訪れ、金日成主席と会談。「米朝枠組み合意」の

1994年、北朝鮮を訪れた、カーター元アメリカ大統領と金日成主席

署名にこぎつけました。これは、北朝鮮がNPTにとどまって核開発を停止する代わりに、プルトニウムを取り出しにくい原子炉と代替エネルギーの重油を供与する仕組みをつくるもので、一九九五年に朝鮮半島エネルギー開発機構（KEDO）が発足しました。これにより、北朝鮮の核の脅威から逃れられるはずだという理由で、日本と韓国、さらにはEUまでもが多大な資金を提供しました。

ちなみにカーター元大統領は、大統領としては一期限りしか務められず、評価が高くありませんでしたが、大統領を退いてからは世界の和平問題解決に強い意欲を示し、評価の高まった人物でもあります。

ソ連から供与された原子炉は黒鉛炉と呼

ばれるもので、原子炉の運転を止めることなく、使用済み核燃料からプルトニウムを取り出すことができます。一方、ＫＥＤＯのプロジェクトに提供された原子炉は軽水炉と呼ばれるプルトニウムの抽出が困難なものでした。

ＮＰＴにとどまり、核施設の凍結と解体を約束した北朝鮮。エネルギー供給のために与えられた原子炉は、プルトニウムの抽出困難な軽水炉。これで北朝鮮の核兵器開発を止めることができたと世界は考えました。

ところが二〇〇〇年代に入り、「北朝鮮がウラン濃縮型の核兵器を製造している」という情報をアメリカのＣＩＡがつかみます。パキスタンの「核開発の父」と呼ばれるカーン博士が関与し、北朝鮮にウラン濃縮型の核技術が持ち込まれていたのでした。

二〇〇二年、アメリカのケリー特使が北朝鮮を訪れ、核兵器開発の情報を確認しようとしたところ、北朝鮮はあっさりこれを認めました。

ソ連をだまして原子炉を手に入れ、核兵器をつくらないとする韓国との約束も破り、核兵器製造を匂わせてアメリカを引き込んで軽水炉と重油を獲得する。その裏では、パキスタンからウラン濃縮の技術を得て核兵器を製造。これが北朝鮮の核開発戦略だったのです。

二〇〇三年、北朝鮮はＮＰＴから脱退。二〇〇五年にはついに核兵器の保有を宣言します。その後も開発は進み、原爆だけでなく水爆の完成も間近ではないかと言われています。

核兵器が完成すると、それを運搬する手段が必要になってきます。それがミサイルです。核爆弾自体が大きくて重いと、遠くに飛ばすことができません。つまり核爆弾を小型軽量化する一方で、遠くまで届くミサイルの開発が進められました。

その結果、二〇〇九年には日本の東北地方上空を通過し、太平洋に届く中距離弾道ミサイルの実験をするまでになったのです。その後も実験は繰り返されますが世界からの非難を受け、最近では実際に打ち上げた水平距離を測る実験ではなく、上空高くに打ち上げてその高さから距離を計算する実験に切り替えています。その実験内容をアメリカや日本が検証すると、明らかにアメリカまで届く大陸間弾道弾の開発ができていると考えられています。

ただ、二〇一七年の実験をたまたまＮＨＫ函館放送局のお天気カメラがとらえていました。その映像には、大気圏内に再突入したときに二つに割れて燃えるミサイルが映っていました。ミサイルが高速で大気圏に衝突すると、大気が急激に圧縮されてプラズマ化し、高熱を発します。つまり、打ち上げには成功しているものの、大気圏に再突入する技術は得ていないのでは、と推測されています。しかし、いずれにせよアメリカまで届かせる大陸間弾道弾の開発は、着実に進められているのです。

2018年6月、シンガポールで行われた米朝首脳会談

## アメリカとの直接交渉

二〇一八年、アメリカのトランプ大統領は突然金正恩《キムジョンウン》委員長に会うと言い出します。それまでのアメリカは、北朝鮮が核開発を止め、ミサイル開発を止めたら直接交渉に応じる、というスタンスをとり続けてきました。しかし、なかなか進まない北朝鮮問題に自分が出ていくことで実績にしたいトランプ大統領は、米朝首脳会談の開催を北朝鮮に打診しました。

二〇一八年六月、シンガポールにおいて史上初の米朝首脳会談が行われました。そこでトランプは早々と、いまの金正恩体制を壊すことはないというお墨付きを出してしまいます。そして、北朝鮮は検証可能で不可逆的な核開発の禁止を約束しなければいけないし、アメリカはそう要求するであろうと言われていましたが、「朝鮮半島の非核化」という話にすり替えられてしまいます。朝鮮半島の非核化というのは過去二回、韓国と北朝鮮との間で約束されています。その約束を破ってきた北朝鮮が「朝鮮半島の完全な非核化に向けて取り組むことを約束する」という共同声明に署名したところで、具体性に欠けるのは明らかです。

トランプ大統領は大きな成果があったとアピールしましたが、北朝鮮にしてみれば核兵器やミサイルについて具体的な内容はありませんでしたから、そのまま開発を続けているという状態です。

そもそも弾道ミサイルの発射は国連決議に違反しているのですが、北朝鮮は意に介していません。ただし、アメリカの反感を買いたくはないので、上空に打ち上げる実験をしてデータを蓄積させているのです。

この米朝首脳会談で、トランプが金正恩に対して大陸間弾道弾の開発に釘をさすだけに終わってしまい、日本の安全保障が脅威にさらされている中距離ミサイルについては言及がないことが日本の一番の心配だったのですが、その通りの結果になってしまいました。

さらにはトランプが北朝鮮のミサイル発射を強く非難しないため、日本も韓国もトランプに遠慮してか、発射されたミサイルを「飛翔体」と呼び、事を小さくみせようとさえしているようです。

一方で北朝鮮は核開発やミサイル開発のために、世界から経済制裁を受けています。北朝鮮が核やミサイルの開発を止めれば、経済制裁を解除することになっていますが、北朝鮮にはその気がなく、ごまかそうとするばかりで経済制裁は続いています。

この経済制裁は北朝鮮経済にとって相当のダメージになっているようで、この解除を北朝鮮は強く望んでいます。そのためにもう一度アメリカを交渉の場に引き出したいと考え、ミサイル発射実験で挑発しているという状態になっています。

**学生からの質問**

Q 日本は軍国主義の時代から戦争を経て民主主義に至っています。敗戦や占領されたことが大きな変化の要因だったと思いますが、北朝鮮や中国が大きく変わって、民主主義の国になる可能性はありますか。

# A

現状ではそうとう難しいことだと思いますが、可能性は常にあります。

韓国も一九八〇年代まで軍事独裁の国でした。少しでも政府を批判しようものなら、たちまち投獄されて拷問を受ける。そんなひどい時代もありました。その一方で北朝鮮の情報はほとんどありませんでした。そのために「帰国事業」が進んだという背景があります。韓国に比べれば、北朝鮮の方がまだまともなのではないかと考えられていたわけです。

その韓国が民主化したのは、学生や市民が立ち上がって民主化を勝ち取ったからで、彼らには自分たちの力で民主主義を手に入れたという成功体験があります。ただし、その民主主義の経験は浅く、歴史も短いということです。

私が学生のころ、ソ連が崩壊するなんて思ってもみませんでした。ベルリンの壁の崩壊も想像すらできませんでした。だから、「絶対」はないということです。

中国にしても、中国共産党による支配体制が続いていますが、国民が高い教育を受け、あるいは海外に出て世界の情勢や民主主義にもっと触れるようになると、何らかの改革が起こってても不思議ではありません。

第八章

# 世界地図を読む

## 日本が「極東」なのはなぜ？

これまで私は世界八十五の国と地域を訪れました。そして各地でその国の地図を買い求めてきました。それぞれの国で売られている地図からは、さまざまな事情を読み取ることができます。その国がどういう立ち位置で世界を見ているか、ということもわかってきます。

では、世界地図を思い浮かべてください。

ほとんどの人は、日本の教科書にあるような、日本が中央にある地図を想像していると思います。東側に太平洋をはさんで南北アメリカ大陸があり、西側にはアジアが広がって中東があり、西の端にヨーロッパがあって、その南がアフリカ大陸。しかし、このような地図を使っているのは、世界では少数派だということをまず頭に入れておいてください。

第二次世界大戦後は、「東西冷戦」の時代といわれました。この場合の「東」というのは、ソ連を中心とした東ヨーロッパ諸国を指します。「西」というのはアメリカや西ヨーロッパを指します。ですが、日本の地図では、ソ連や東ヨーロッパも日本の西側になります。アメリカは東の端にあたります。つまり、日本中心の地図では東西の方角が合いませ

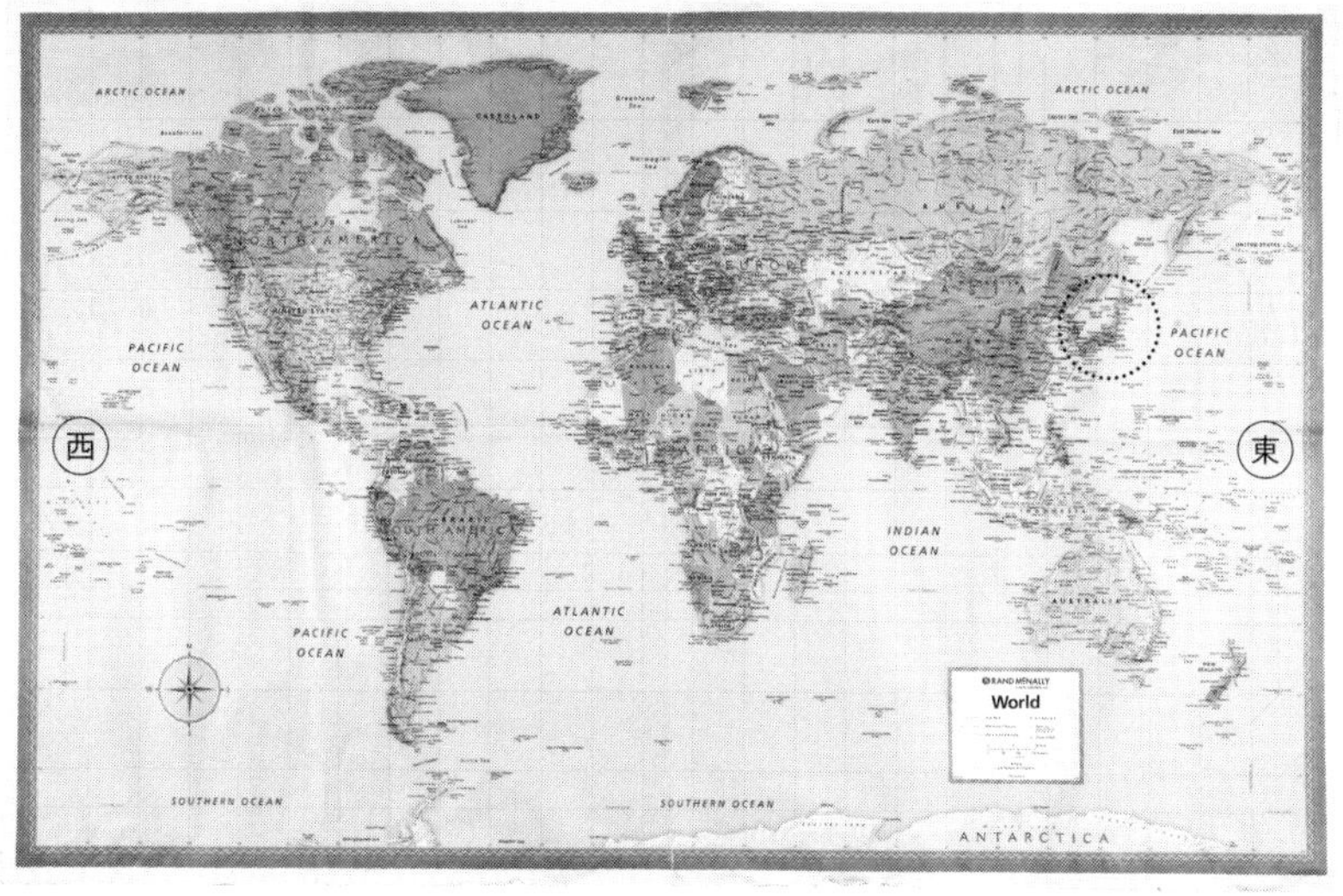


イギリスの世界地図。日本が「極東」と呼ばれるわけがよくわかる

ん。したがってこの場合の「東西」は、別の地点から捉えたものだということがわかります。

この地図を見るとイギリスが世界の中心になっています。イギリスから見ると、ソ連中心の東側諸国とイギリスをはじめとした西ヨーロッパとアメリカという西側諸国の位置関係がよくわかります。つまり「東西冷戦」は、イギリスなど、ヨーロッパ中心の見方になっていることが、これで分かるわけです。

私が小学生のころ、日本のあたりを「極東（ファー・イースト）」と呼ぶことを知って不思議に思いました。地図では日本は世界の中心なのに何で「極東」なのかがよくわかりませんでした。でも、この地図を見るとよく分かるわけですね。極端に東にあるから極東ということになるのです。

一方、「中東（ミドル・イースト）」も日本から見れば西にあたりますが、「中東」と呼ばれています。これも、この地図で、つまりヨーロッパから見て中くらい東にあるから「中東」ということになるわけです。そもそもは、世界を制覇した大英帝国の発想で、世界についての国際的な呼び方が決まったものが数多くあるのです。

## 地図で読む「中東」問題

次ページはイランの世界地図です。

イランですからペルシア語で書かれています。ところがペルシア語で使われている文字はアラビア文字。アラビア語もペルシア語もアラビア文字を使って書かれ、アラビア語もペルシア語もヘブライ語も右から左に書かれます。

このイランの地図を見ると、中央に中東諸国がありますが、イスラエルという国が存在していません。イスラエルがあるあたりを見るとパレスチンと書いてあります。パレスチナということです。パレスチナ地方にイスラエルという国ができたことによって、多くのイスラム教徒が難民となり、その地を追われました。この事実をイランが許していないことがわかります。イスラエルという国を絶対に認めたくない。だから、イランの世界地図では、イスラエルは存在していないことになっています。

ある国を国家として承認していなければ、地図においてもその国を存在させないということがあるのです。

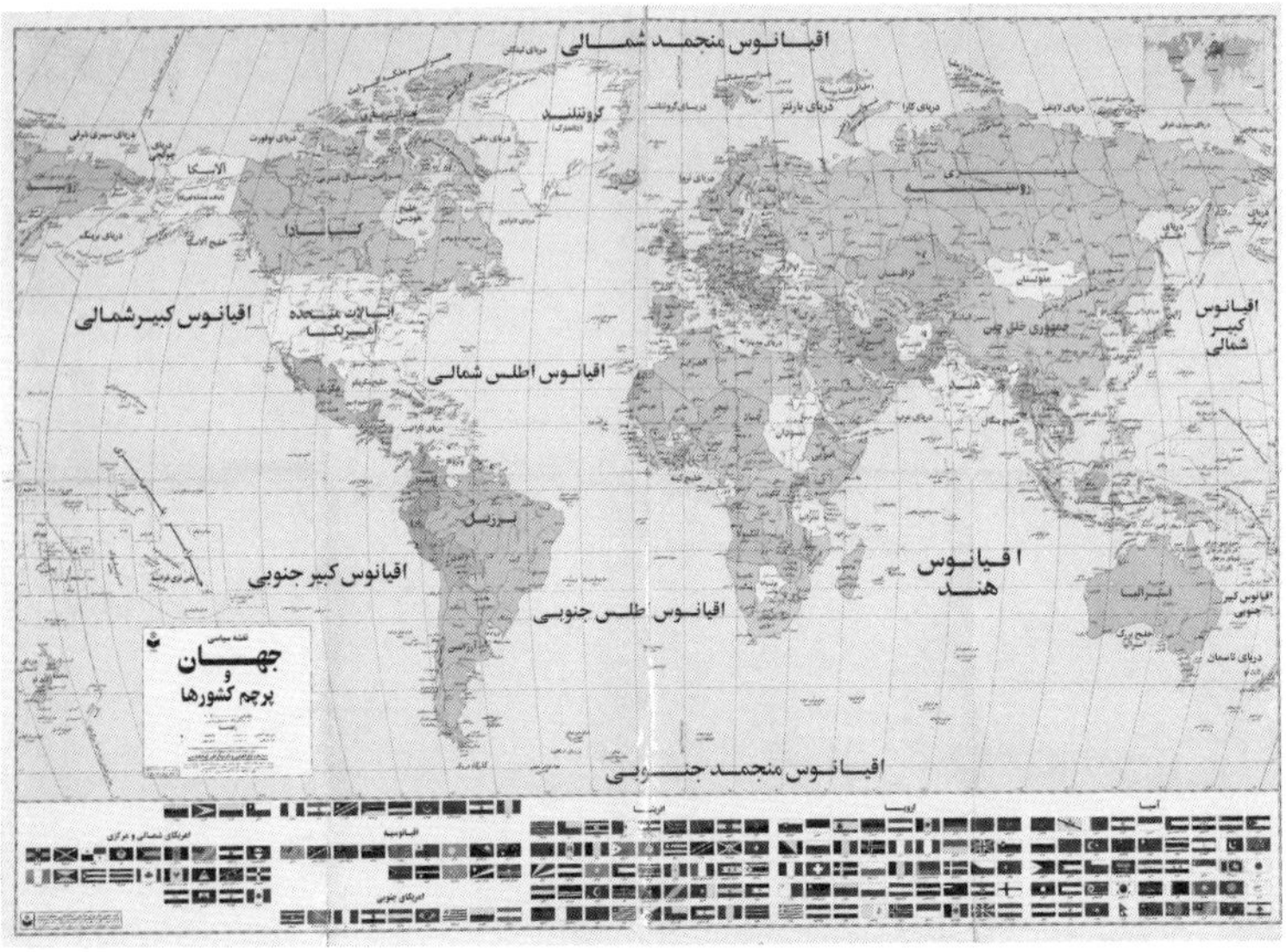


a

b

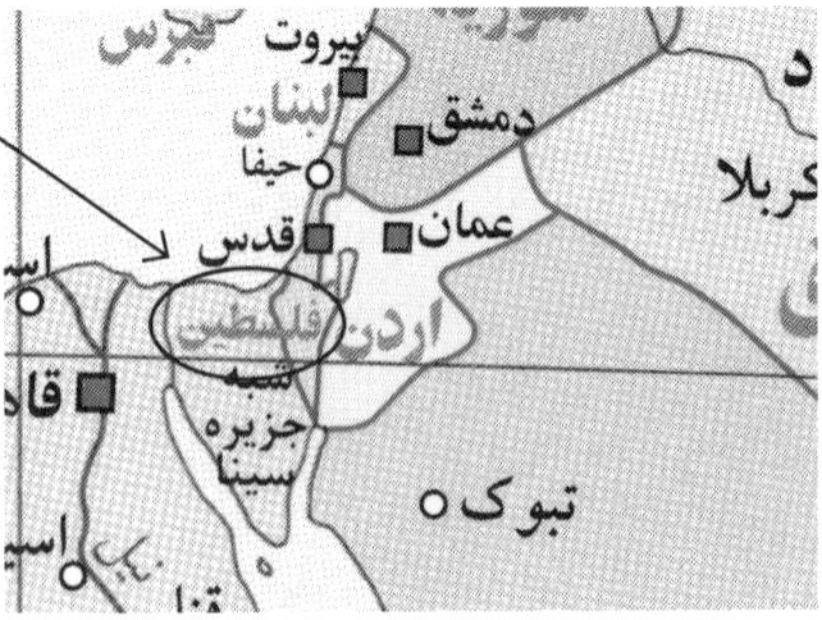


a　アラビア文字で書かれたイランの世界地図

b　「イスラエル」があるところに「パレスチン」と記されている

## イラン核合意からのアメリカ離脱

二〇〇二年、イラン国内にウラン濃縮施設があることがイランの反体制派によって暴露され、核開発が疑われるようになりました。イランは平和利用目的だと主張しますが欧米諸国はこれを認めず、翌年にはIAEA理事会がイランにウラン濃縮の停止を求める決議を採択。イギリス、ドイツ、フランスがイランとの交渉を開始します。イラン政府は二〇〇三年にウラン濃縮の停止を発表しますが、保守強硬派のアフマディネジャドが二〇〇五年に大統領に就任すると、ウラン濃縮を再稼働させます。しかし長引く経済制裁でイランの経済は落ち込み、二〇一三年に穏健派のロウハニ大統領が就任したことで、態度を軟化させます。アメリカにオバマ政権が発足すると、イランとアメリカは歩み寄り、二〇一五年にはイランが核開発を大幅に制限する代わりに経済制裁を解除するという、「イラン核合意」に至りました。

ところが、イスラエルのネタニヤフ首相と仲が良く、娘も娘婿もユダヤ教徒であるトランプが大統領に就任すると、事態は急変します。前任のオバマ大統領の政策をことごとく否定するトランプ大統領は、二〇一八年、この「イラン核合意」から離脱を宣言し、一方的に経済制裁を再開します。

　こうなるとイランもかたくなになります。イランはアメリカの措置に対して、ペルシャ湾とオマーン湾を結ぶホルムズ海峡の封鎖も辞さないと発表しました。

　中東から日本に入ってくる石油のおよそ八割は、このホルムズ海峡を通ってきます。もしここが封鎖されてしまったら、日本に石油が届かなくなるのではないか。そんな声が上がっています。そこへ二〇一九年六月、ホルムズ海峡付近のオマーン湾で、日本の海運会社が運航するタンカーと台湾の石油会社のタンカーが攻撃を受け、炎上するという事件が起こります。アメリカはイランが仕掛けた攻撃だと言い、イランは陰謀だと主張。結局真相は明らかになっていません。

　しかし、ホルムズ海峡がどういう形になっているかを詳しく見ると、イランがホルムズ海峡を封鎖すると言っているのは脅しに過ぎないということがわかってきます。

　ホルムズ海峡の北側はイランで、南はＵＡＥ（アラブ首長国連邦）です。ところが拡大した地図を見ると、ＵＡＥ側から突き出した半島の先端部分がオマーンの飛び地になっていることがわかります。オマーンは、かつて海洋帝国として、この周辺で絶大な勢力を持っていました。そのような歴史から、海峡の一番大事なところは、オマーンが飛び地として維持し続けているのです。そして、ホルムズ海峡の一番狭いところ、イランとオマーンとの間は三十二キロメートルの距離です。

一方、それぞれの国の領海は十二海里。十二海里は、ざっと二十二キロくらいです。ということは、海峡の中央で領海が重なってしまいます。両方の領海が重なってしまった場合は、重なった中央の部分を領海の境界線にするという国際ルールがあります。ですから石油を運ぶタンカーは、いずれかの領海を通ることになるわけですが、オマーン側の領海に国際航路があり、日本の船もこちらを通っています。

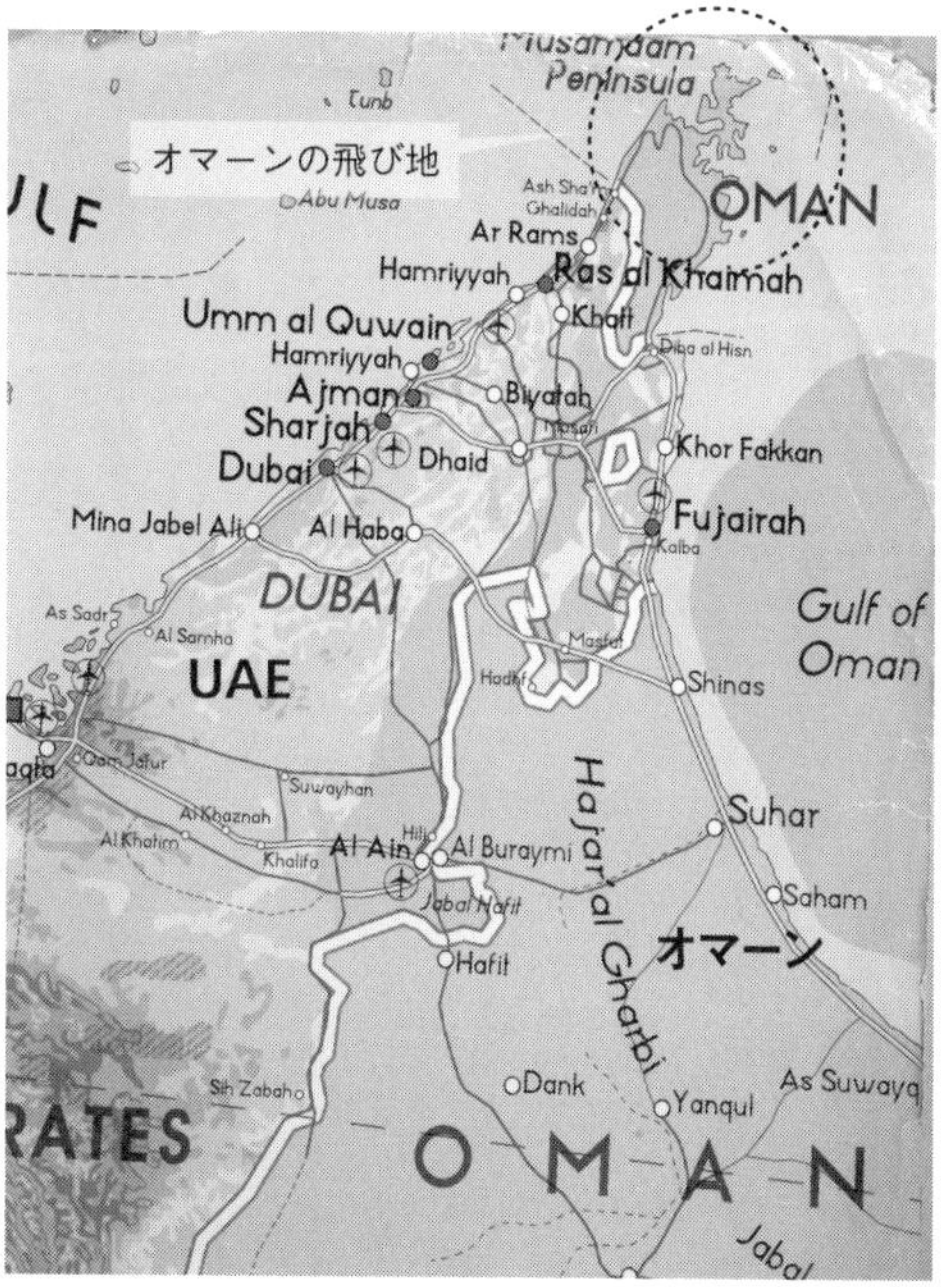

ホルムズ海峡の先端はオマーンの飛び地

　もしイランがホルムズ海峡を封鎖しようとすれば、このオマーン側の領海まで進出して船の航行を止めることになり、それはオマーンに対する戦争行為になるわけです。

オマーンは強力な軍事力を持っていませんから、サウジアラビアやUAEと一緒に湾岸協力会議（GCC）という六カ国からなる集団安保体制を取っています。もしオマーンが他国の侵略を受けたら、サウジアラビアやUAEがオマーンを助けるために軍隊を派遣する約束になっているわけです。したがって、イランがオマーンの領海を通っているタンカーを拿捕《だほ》したりすれば、大規模な戦争になってしまう可能性があるのです。

イランとしても戦争は望んでいません。ホルムズ海峡がどのような地形になっているかを知ると、イランが「ホルムズ海峡を封鎖するぞ」と言っているのが、かなりの部分、脅しに過ぎないことがわかり、冷静な対応ができるのです。

## 中国のアジア包囲網

台湾は中華民国と名乗っています。そして、この地図（P.250a）には「中華民国全図」と書いてあります。その中華民国は見ての通りの広さ。台湾は島のはずなのに、モンゴルまでが中華民国になっているのです。第二次世界大戦後、内戦で共産党との戦いに敗れた国民党は台湾に逃げ込み、一九四九年、大陸には中華人民共和国が建国されました。しかし、その後も国民党の蔣介石は、中国大陸もモンゴルも中華民国だと主張していたのです。これはその当時の地図です。

中華民国の首都は南京でした。日中戦争において、日本軍が南京に攻め込んだのは、ここが首都だったからです。その後、首都は北部の重慶に移ります。この時期に日本軍が実戦に投入したのが零戦《れいせん》という戦闘機でした。日本軍は零戦を使って、重慶を空爆します。この攻撃は、世界で最初の無差別爆撃として世界に知られています。スペイン内戦時のゲルニカや、第二次世界大戦でのドイツのドレスデン、さらには東京大空襲の無差別爆撃もよく知られていますが、一般市民を巻き込んだ無差別攻撃は、重慶が最初だったのです。

日本が戦争に負けた後、内戦の結果、中華人民共和国が建国され、国民党は台湾に逃げたため、台北が中華民国の臨時首都という位置付けになっているのです。

この地図で非常に象徴的なのは、北京という町が存在していないことです。現在の北京のあたりには北平と書かれています。当時の中華民国にとってはあくまでも南京が首都。北の京という北京が存在すれば、京が二つあることになり、それでは不都合なので、北平という名前になっているのです。これはもうフィクションの世界ですね。

実際にはモンゴルは独立国であり、中華人民共和国という国が存在し、そして北京という街がある。さすがに現在では、この地図は使われていません。

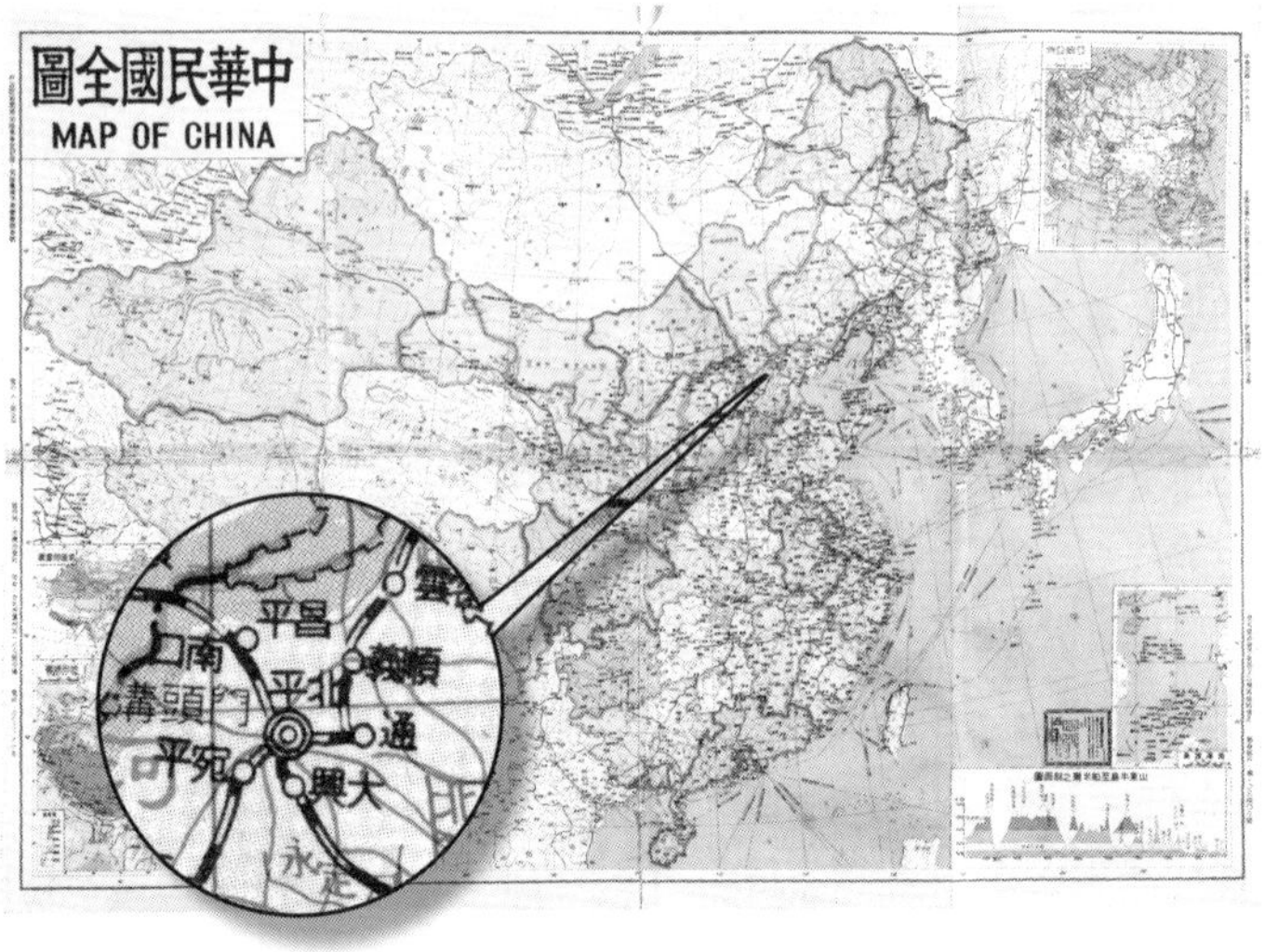


a

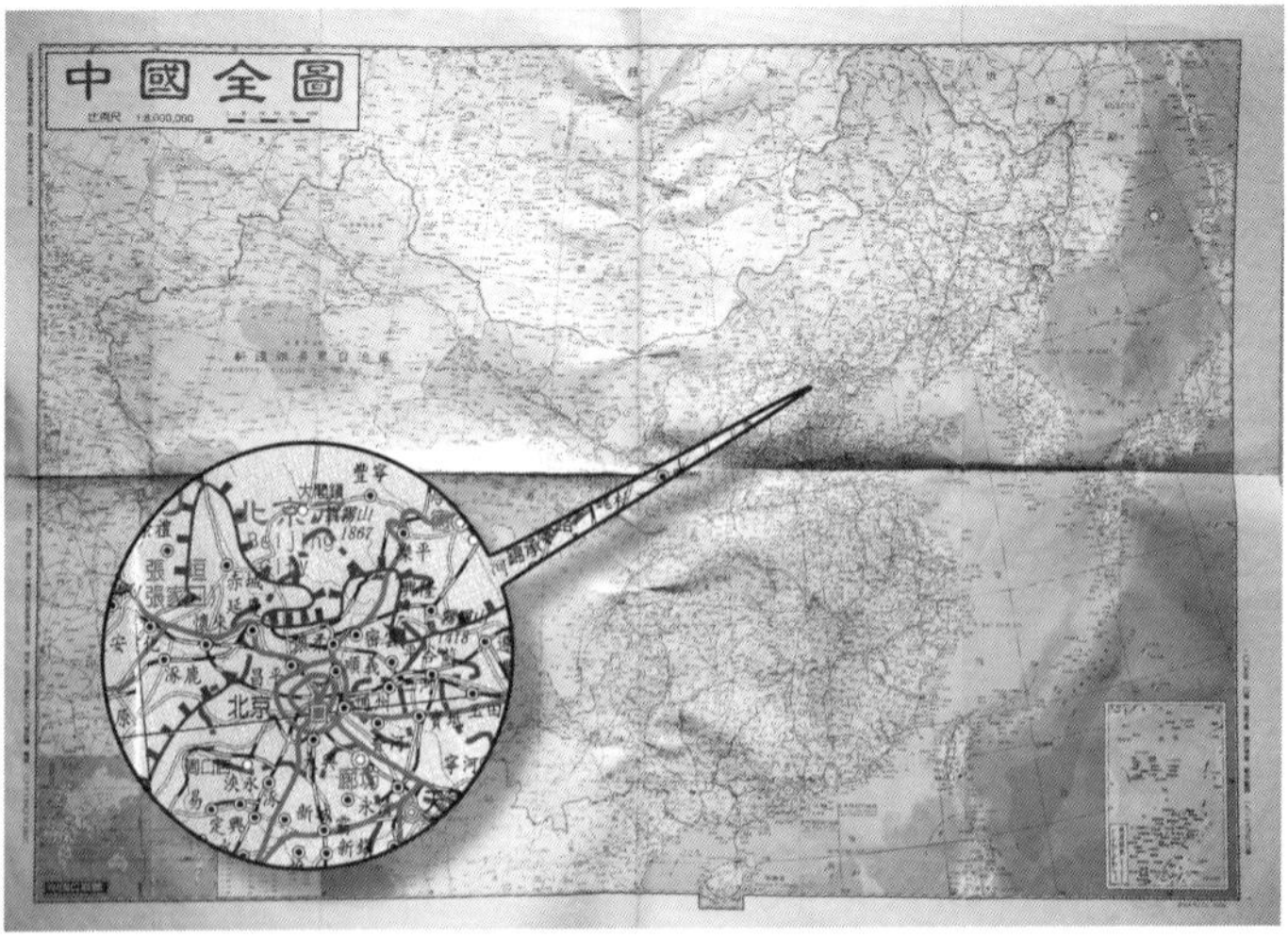


b

**a** 台湾で昔使われていた世界地図。首都は「南京」。
「北京」があるところは「北平」と記されている。北京は存在しないことになっている

**b** 現在の台湾の世界地図。「北平」ではなく「北京」と記されている

現在の地図はこちらです（P.250b）。モンゴルも別の国になっていますし、北京も表記されています。ただ、困ったのは地図のタイトルです。以前のように「中華民国全図」とするわけにはいかず、かといって中華人民共和国の名前は使いたくない。そこで考えられたのが「中国全図」。これなら問題はないということです。

そしてこれが中華人民共和国の地図です（P.252）。当たり前ですが、この地図には中華民国は存在していません。台湾は台湾島という島として書かれています。中華人民共和国は中華民国の存在を認めていません。そして台湾の独立を恐れています。あくまで台湾を中国に回収してこそ中華人民共和国の統一が果たせるという考えを持っているのです。

中国の軍隊のことを人民解放軍といいます。世界でも非常に珍しい軍隊です。普通、軍隊というのは国家の組織のはずですが、人民解放軍は中国共産党の軍隊。あくまで党の軍隊です。そして、人民を解放する軍隊だということは、まだ解放されていない人民がいるからであり、それが台湾の人民ということなのです。台湾の人民を解放してこそ、中華人民共和国の統一がなる。これが、中華人民共和国の戦略だということです。

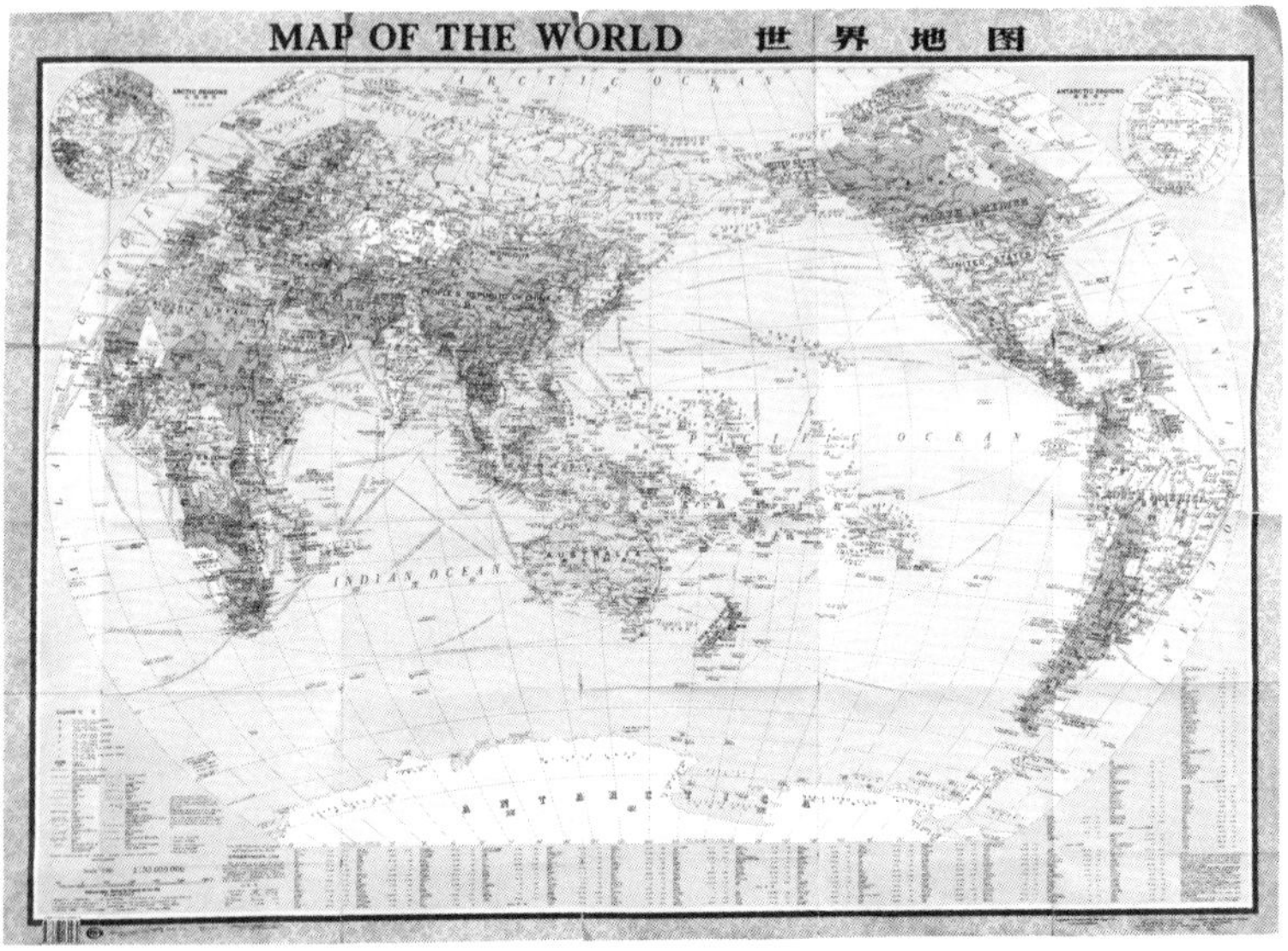


a

b

c

a 中華人民共和国の世界地図　b 北方領土は日本と同じ色に塗られている

c 台湾は国ではなく「台湾島」と記されている

## 香港の民主化運動

香港はアヘン戦争によってイギリス領になり、その後の条約で九十九年間のイギリスの租借《そしゃく》が決められました。その期限が切れたのが一九九七年でした。

香港を中国に返還するとき、交渉を進めた中国の鄧小平とイギリスのサッチャー首相との間で、「香港は返還後五十年間、このままで、つまり資本主義体制でいいですよ。政治的な発言も自由ですよ」と決められました。中国という一つの国に共産主義体制と資本主義体制の二つの制度が存在することになったのです。これを一国二制度と言います。

ところがそう言いながら中国は、香港のトップの行政長官の選挙について、中国の言うことを聞く人物が必ず当選するような仕組みをつくりました。立候補の段階で候補者の資格審査を行い、その審査をする委員会を親中派で占めたのです。つまり、中国共産党に反発するような人物は、行政長官の選挙に立候補できないシステムになっています。

それどころか、中国の法律に違反している者が香港にいたら、これを中国大陸に送ることができる法律をつくろうとしました。香港は言論の自由が保障されていますが、もし中国共産党のことを批判すると、「中国の法律に違反した犯罪者だ。こちらに引き渡せ」と言ってくるかもしれない。それでは香港の人たちが委縮してしまって、言論の自由が守られなくなるというわけです。

これに反対するデモが始まり、運動はさらにエスカレートしています。つまり、中国は「返還後五十年間はこのままでいいですよ」と言っておきながら、実際にはじわじわと影響力を強め、香港をコントロールしようとしています。そしてあと二十七年経てば、香港は中国の意のままになるということです。

## インドとの対立

インドと中国との間には国境がありますが、日本の地図を見ると、インドと中国の国境線が二重の点線で表記されている部分があります。その理由は、インドと中国は国境紛争を抱えていて、それぞれの主張している国境線が違うからです。第三者の日本はそれぞれの言い分を点線で表記して、ここでは国境の紛争が続いていることを示しているのです。しかし、中国の地図では、インド側にずっと入ったところが国境線になっています。

インドに言わせると、自国の領土を中国によって占領されている状態になっています。これは、中印戦争があったため、お互いに主張する国境が違っていて、こうした状況になっているのです。

日本人にとって意外なのが、中国の地図の北方領土です。この地図（P．252b）では、北方領土は日本の領土になっています。ロシアと中国は深い関係にあり、そのロシアが占領している北方領土はロシアのものだと、中国は認めていると思われがちですが、実はそうではありません。

かつて、東西冷戦時代には、中ソ対立とよばれる二国間の対立構造がありました。その要因の一つが、両国の核兵器開発でした。当時の毛沢東率いる中国は、ソ連と距離を置くようになり、すっかりソ連の言うことを聞かなくなっていました。そしてソ連が核兵器開発をすると、それを追うように中国も核開発に取り組みました。これがソ連にとって、大きな脅威になったのです。ソ連は、その脅威が現実にならないうちに、中国を叩くことを考えます。この企《くわだ》てを持ち掛けた相手が、東西冷戦で敵対しているはずのアメリカだったのです。

アメリカはこれを断り、さらにこの極秘の申し入れを『ニューヨーク・タイムズ』にリークします。東西冷戦のさなかに、ソ連と中国の仲を裂くことができれば、アメリカには大きな利益になるからです。

「ソ連がアメリカに対して一緒に中国を攻撃しようと持ち掛けてきた」という記事が報じ

られると、焦るのは中国です。いつソ連から核ミサイルが飛んでくるかわからないと、警戒を強めます。毛沢東もソ連との核戦争を覚悟し、中国国内に核シェルターを建設します。最も大規模な核シェルターは、北京の天安門広場の地下に造られました。人民解放軍の一〇〇万人の兵士を収容できる巨大な空間が、天安門広場の地下にあるのです。

北京にある故宮の西側に中南海という場所があります。ここは中国共産党の幹部の居住区であり執務室になっていて、中国共産党の幹部はみんなここに住んでいます。その中南海からエスカレーターで下っていくと、天安門広場の地下にある巨大な核シェルターにつながっているのです。ソ連から核ミサイルが飛んでくるような事態になった場合、とりあえずこのシェルターに避難する。つまり、中国はソ連との核戦争を覚悟していたのです。

一方中国は、ソ連包囲網をつくろうと考えます。アメリカと極秘で交渉をはじめ、一九七一年の電撃発表の後、翌年にニクソン大統領が訪中して毛沢東、周恩来と会談し、和解することになります。さらには同年、田中角栄首相が中国を訪れ、日中国交正常化を実現させたのです。この時点での中国は、アメリカや日本が好きで国交を求めたのではなく、あくまでソ連包囲網をつくろうと考えていたのでした。

「敵の敵は味方」という言葉があります。中国にしてみれば、当面の敵はソ連であり、そのソ連と敵対しているアメリカは、味方ということになります。日本も同様で、ソ連と対立している国ならば、中国の味方に引き入れようとしたのです。そのためには、敵であるソ連が支配している北方領土は日本のものだとしておいた方がいいだろう、という考えで、地図の表記もそのようにされたのです。

ソ連が崩壊した後のことですが、ロシアの連邦議会の売店で地球儀が売られていて、それをある議員が眺めていました。すると、南クリル諸島（北方領土）が日本の色に塗られていることに気がつき、激怒します。「何でロシアの連邦議会で、南クリル諸島が日本の色に塗ってある地球儀なんかを売っているんだ！」。その地球儀は中国製で、それ以降、売店に置かれなくなったのでした。

中国が画策する包囲網は、それだけではありません。国境問題で争っているインドに対しても、包囲網をつくろうとします。

インドの北西側にはパキスタンがあります。この二つの国は、何度も戦争をしています。ということは、インドの敵であるパキスタンは、中国の味方になり得るのです。そのために中国は、パキスタンに対して莫大な軍事援助をし続けてきました。最近はアメリカもパキスタンに援助をしていますが、元々パキスタン軍は、中国の援助によってつくられた軍隊です。インドとパキスタンが紛争状態になっている大きな原因が、カシミール地方です。

インドもパキスタンも、あるいはバングラデシュもスリランカもイギリス領でした。これらの国がイギリスから独立しようとしたとき、インドのガンディーは全部まとまって一つの国にしたいと考えました。インドにはヒンズー教徒もいるし、シーク教徒もいるし、イスラム教徒もいる。しかし、宗教や民族に関係なく、これを一つの国にまとめるのがガンディーの理想でした。ところが当時のイスラム教徒たちは、イスラム教の国を求め、結局パキスタンという国ができたのでした。そして、イスラム教徒が多く住む地域をインドを挟んで、西パキスタンと東パキスタンという国にしました。

しかし西パキスタンと東パキスタンでは民族も言葉も違っていたので、東パキスタンが独立しようとして戦争が起こります。この独立戦争において、インドは東パキスタンを支援。勝利した東パキスタンは、ベンガル人の国、つまりバングラデシュという国として独立しました。こういう経緯があり、パキスタンはインドに対して恨みを持つようになりました。

インドとパキスタンがイギリスから独立したとき、カシミール地方はマハラジャという地方の王に自治が認められていました。このカシミール地方の王様は、インドとパキスタンのどちら側にもつかず、独自の国づくりを目指しました。ところが、ここに住むイスラム教徒たちはパキスタンと一緒になることを要求します。慌てた王はインドに泣きつき、結局王が頼みとするインドと住民が頼るパキスタンとで戦争が起こります。これがカシミール紛争であり、印パ戦争です。

結局インド側はある程度の地域を実効支配することになります。しかしそこにもパキスタンに入りたいイスラム教徒が多くいて、取りあえず自治を認める方法をとっていました。

ところが二〇一九年二月、イスラム過激派によるテロが起こり、インドの治安部隊に四十人以上の死者が出ます。パキスタンはテロへの関与を否定しますが、インドとパキスタンの関係はさらに悪化。同年八月、インドはこの地域の自治を認めないと発表します。これに対して、パキスタンは猛反発しています。

インドがカシミール地方において強硬な態度をとり続ける大きな理由は、現在のモディ首相がヒンズー至上主義者だからです。インドの人口は十四億人近くで、そのうちの十億人がヒンズー教徒だと言われています。つまり、ヒンズーファーストを打ち出し、「カシミールはヒンズー教徒のものだ」と主張することで多くの国民の支持を得ているのです。まさにアメリカのトランプ大統領が白人至上主義とアメリカファーストを前面に打ち出し、白人の支持を得ているのと同じ構造なのです。

この問題をさらに複雑にしているのが、中国のインドに対する包囲網です。現在のカシミール地方は、インドが実効支配する地域とパキスタンが実効支配する地域、さらに中国が実効支配する地域の三つに分かれています。なぜ中国が出てくるかというと、パキスタンは中国の支援を受けて軍事力を強化したので、そのお礼にカシミール地方の人が住めないような場所を中国に譲ったのです。もちろんインドはこれに反発します。カシミール地方は自分のものだと思っていたら、その一部をパキスタンが勝手に中国にプレゼントしてしまったわけですから。日本の地図では、このあたりは複雑な点線が引かれていて、国境が定まっていないことを示しています。

自国第一主義の流れは、アメリカだけではありません。イギリスにおいてもボリス・ジョンソンがイギリスファーストと言い、インドでもモディ首相がヒンズーファーストと言う。自国第一主義、あるいは宗教や民族を優先するという政治の意識がこのところ顕著になっていて、それによる紛争も起こっているのです。

## 北方領土問題

ロシアの地図を見てみましょう。ここで使われているのはキリル文字。アルファベットに似ていますが、まるで違う文字もあります。

ロシアの国教であるロシア正教の元は東方正教。東方正教はギリシャ正教から始まっています。つまり、キリル文字の元はギリシャ文字だったのです。元々はギリシャ文字でしたが、ギリシャ文字だけではロシア語の表記を十分にできません。そこでロシアのキリル大司教が「ギリシャ文字をベースにロシア語をきちんと表記できるものにしよう」として作られたのがキリル文字です。

キリル文字で書かれたロシアの地図では、南クリル諸島、つまり北方領土はというと、もちろんロシア領になっています。

二〇一八年九月、ウラジオストクで開かれた東方経済フォーラムにおいて、ロシアのプーチン大統領が突然、「私の頭にこんな考えが浮かんだ」という言葉で始め、「年末までに平和条約を結ぼう」と安倍首相に提案しました。

一九四五年八月九日、第二次世界大戦の最後の段階でソ連は日ソ中立条約を破棄し、満州に攻め込んできます。南樺太から千島《ちしま》列島、国後《くなしり》、択捉《えとろふ》、歯舞《はぼまい》、色丹《しゃこたん》まで侵攻し、占領しました。日本が降伏したことによって戦勝国となりました。その六年後の一九五一年九月にサンフランシスコ講和条約が結ばれ、戦後の日本の国境線が確定されました。しかしソ連はこの講和条約に調印しなかったため、日本とソ連の間では、完全な意味での戦争終結とは言えない状態になっていました。

a

b

a ロシアの世界地図

b 北方領土はロシアの色に塗られている

一九五六年十月、鳩山一郎首相はモスクワを訪問します。フルシチョフソ連共産党第一書記との日ソ首脳会談が行われ、両国は日ソ共同宣言に署名しました。このときの合意内容は、まず日本とソ連の間で国交を回復させ、平和条約締結後に歯舞群島と色丹島を日本に返還するという前提で、平和条約の交渉を進めるというものでした。つまり、戦争は終結し、国交は回復するけれど、両国間の国境線は確定されず、平和条約は先送りする、という異常な状態になったのです。

平和条約の交渉が進み、条約が結ばれることで、ソ連は歯舞群島と色丹島を日本に返還するという約束でした。ところが、一九六〇年の日米安保条約の改正により、外部からの武力攻撃に対して、アメリカが日本を防衛する義務を負うことが明記されたため、ソ連は交渉に応じなくなります。つまり、歯舞群島と色丹島を日本に返還した後、ここにアメリカ軍基地ができることを恐れたのでした。

日本は択捉島、国後島、色丹島、歯舞群島の北方領土四島は日本固有の領土だと主張していますが、サンフランシスコ講和条約において、千島列島の領有権を放棄しています。その千島列島はどこまでを指すのかと国会で問われたとき、日本政府は「歯舞群島と色丹島は含まれない」という答弁を一九五一年にしています。つまり、択捉島と国後島は千島列島に含まれるという見解を示したのです。これは後に訂正され、千島列島に択捉島と国後島は含まれないとしていますが、戦後の一時期には日本側にもそういう認識があったのです。ですから当時、日本政府としては、歯舞群島と色丹島を返してもらえるならそれでもいいという考えもありました。

ところがこの成り行きに納得しないのがアメリカでした。東西冷戦のさなか、日本とソ連が平和条約を結ぶのは、アメリカにとっては都合の悪いことでした。アメリカが望んだのは日本とソ連の対立構造です。そこで二島ではなく四島の返還を要求するよう日本にプレッシャーをかけます。結果的にアメリカの思惑通り、日本は四島の返還が前提でなければ平和条約は結べない、と主張するようになり、交渉は止まってしまいます。

この歯舞群島と色丹島については、ソ連にも弱みがあります。日本では一九四五年の八月十五日が終戦の日になっていますが、これはポツダム宣言を受け入れたことを天皇陛下が公表した日で、国際法上の終戦は九月二日。つまり東京湾上のミズーリ号で降伏文書に調印した日に終戦となります。それまでは、形式的にはまだ戦争中だったということです。ソ連は戦争で得た領土は返す必要はないと主張して北方四島を支配しますが、実は色丹島と歯舞群島に侵攻したのは、九月二日以降だったのです。ですから色丹島と歯舞群島は不法占拠だと問われる弱みがあり、だからこそ平和条約が結ばれれば、返還する用意があったのです。

その後も、まず二島返還の後にさらに交渉を進めようという「二島先行返還」の構想がありましたが、国内で「四島返還」の声と対立し、ソ連を引き継いだロシアの不信感を招く結果になりました。

現在、プーチン大統領には、サハリンでの天然ガスの開発に日本の技術や資金を引き出したいという思惑があります。日本との関係を改善することによって日本の投資を引き出したい。そういう思いがあるからこそ、平和条約の提案をしたのです。

これに対して安倍首相は、北方領土の返還は大きな実績になるはずで、「四島返還」にこだわる声に配慮し、「二島プラスアルファ」という言い方をしています。平和条約を結び、二島返還の上で国後島と択捉島に関しては日露で共同開発を進め、両国が活動できる場にしていこうという考えです。

しかしロシア国内では返還に反対する意見もあり、プーチン大統領はその対応にも当たらなければなりません。一方、安倍首相は、北方領土にアメリカ軍基地はつくらないというアメリカとの確認も必要で、なかなか前進できません。

ロシアはいま、東西冷戦時代のような、軍事力で存在価値を示すことを止め、サイバー攻撃によって標的とする国を混乱させることに注力するようになっています。二〇一六年のアメリカ大統領選挙においても、当時の民主党全国委員会のサーバーがハッキングされ、メールの内容がウィキリークスを通じてインターネット上にあげられてしまいました。これはロシア連邦軍参謀本部情報総局（ＧＲＵ）が行ったことであるとアメリカのＣＩＡやＦＢＩが突き止め、アメリカ国内で公表されています。これにより、ロシアのＧＲＵがアメリカの大統領選挙に介入しようとしたことが明らかになりました。サイバー攻撃やフェイクニュースを流すことによって、ロシアに対して強硬な態度をとるヒラリー・クリントンの当選を妨害したのでした。

さらにロシアはＥＵの力を弱めようとして、イギリスの離脱に影響を与える攻撃を仕掛けます。イギリスでのＥＵ離脱をめぐる国民投票が行われた時期、「ＥＵを離脱するとこんなにいいことがある」というフェイクニュースがインターネット上に溢れました。これについてイギリス政府は、背後にロシアがあったという報告書をまとめました。ところが、離脱推進派のボリス・ジョンソン首相は、この報告書の発表を止めているのです。

## 地図に表れる国情

次に日本の裏側の国、アルゼンチンの地図を見てみましょう。アルゼンチンは南アメリカ大陸の南に位置する、縦に長い国です。この国の南端から少し東に行ったところに、大

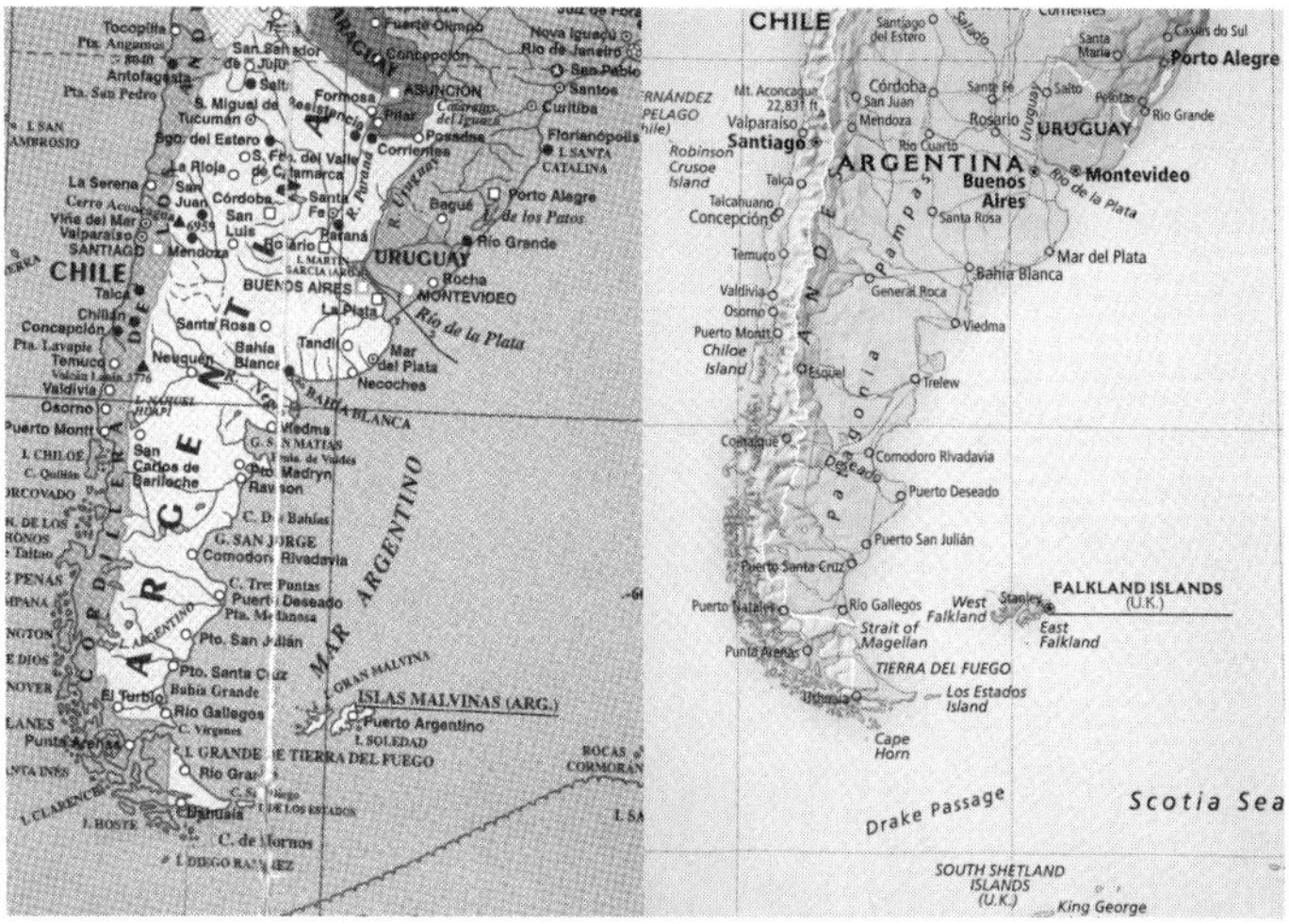


左のアルゼンチンの地図ではマルビナス諸島、
右のイギリスの地図ではフォークランド諸島と記されている

小あわせると七五〇以上もの島からなるマルビナス諸島があります。

このマルビナス諸島は、イギリスの地図ではフォークランド諸島という名前になっています。その領有をめぐり、一九八二年にアルゼンチンとイギリスの間で戦争が勃発しました。フォークランド紛争です。

この地域は長くイギリスが実効支配してきましたが、当時のアルゼンチンの政権が突然「マルビナスを取り返す」と言い出します。現在は民主化されたアルゼンチンですが、この時代は軍事独裁政権でした。そもそも軍事政権というものは、国民を抑圧します。そうなると国民の中に反発が出てきます。政権側は、国民の怒りを外に向けるため、外敵をつくりだします。国民の目を外にそらし、国内の団結を図ろうとするのです。このときは「マルビナス諸島を支配しているイギリス」が外敵だったのです。

アルゼンチン軍が島に上陸したとき、イギリス軍のフォークランド守備部隊はごくわずかで、たちまち降伏してしまいます。イギリスのサッチャー首相は怒り、フォークランドへの派兵を考えます。

このとき、軍隊を送れば戦争になるので、閣僚たちは反対しますが、サッチャーは閣僚たちを見回し、「この中に男はいないのか」と一喝しました。こうして「鉄の女」サッチャーの提案通り、イギリスはフォークランドへの派兵を決めたのです。

イギリスには大軍を送るだけの船がなかったため、豪華客船クイーン・エリザベスⅡ世号をチャーターして兵の輸送を行いました。イギリス軍の攻撃により、アルゼンチン軍は敗北。この紛争をきっかけに、アルゼンチンの軍事政権が崩壊していくことになったのです。

紛争以降もアルゼンチンとイギリスは、この諸島の領有を主張しているので、それぞれの国の地図で、名前が違う状態になっているのです。

またこのときにアルゼンチンは、フランスから購入したエグゾセミサイルという空対艦ミサイルを使用しました。空対艦ミサイルは、戦闘機から軍艦を攻撃するミサイルで、このエグゾセミサイル一発でイギリスの軍艦が沈没してしまいます。その結果、世界中の国々がフランスのエグゾセミサイルを買おうと殺到する事態になりました。実は、フランスは武器輸出大国で、さまざまな国に武器を輸出しています。フォークランド紛争でエグゾセミサイルは一躍有名になり、フランスに大きな利益をもたらしたのです。

一九九〇年の湾岸戦争のとき、多国籍軍がイラクを攻撃します。この多国籍軍にフランスは参加していましたが、戦闘機による初日の攻撃は、イギリス軍とアメリカ軍だけで行われ、フランス軍は出撃しませんでした。その理由は、フランスがイラクに戦闘機を輸出していたため、イラク軍の戦闘機はフランス軍と同じミラージュＦ１戦闘機だったのです。つまり、多国籍軍の味方同士で戦闘にならないよう、イラク軍のミラージュＦ１戦闘機が全滅するまで、フランス軍は出動できなかったのです。

## 韓国と北朝鮮の事情

次は韓国の世界地図を見ましょう。

この地図を見ると朝鮮半島に国境はなく、朝鮮半島の首都はソウルになっています。ピョンヤン（平壌）という都市はありますが、首都の印は付いていません。朝鮮半島で首都の印があるのは一カ所だけで、それがソウルなのです。それは、大韓民国憲法に韓半島――日本では朝鮮半島と言いますが、韓国の人たちは韓半島と言います――の首都はソウルである、と書かれているからです。

つまり、大韓民国が建国されて大韓民国憲法ができたとき、北朝鮮という国を承認したくなかったので、半島には大韓民国しかなく、その首都はソウルである、ということなのです。

そして、この地図には「日本海」が存在しません。日本海にあたる海域は、韓国語で「東海《トンヘ》」、英語では「イースト・シー」と書いてあります。私たちはこの海域を「日本海」と呼んでいて、英語の表記は「シー・オブ・ジャパン」です。古くから日本海、およびシー・オブ・ジャパンという言い方が定着していました。

しかし、日本によって朝鮮半島が三十六年間も占領され、その間にこの海も日本海という名前にされてしまった、と韓国は主張しています。ですから韓国の地図では、ここは「シー・オブ・ジャパン」ではなく、「イースト・シー」になっているのです。さらに韓国

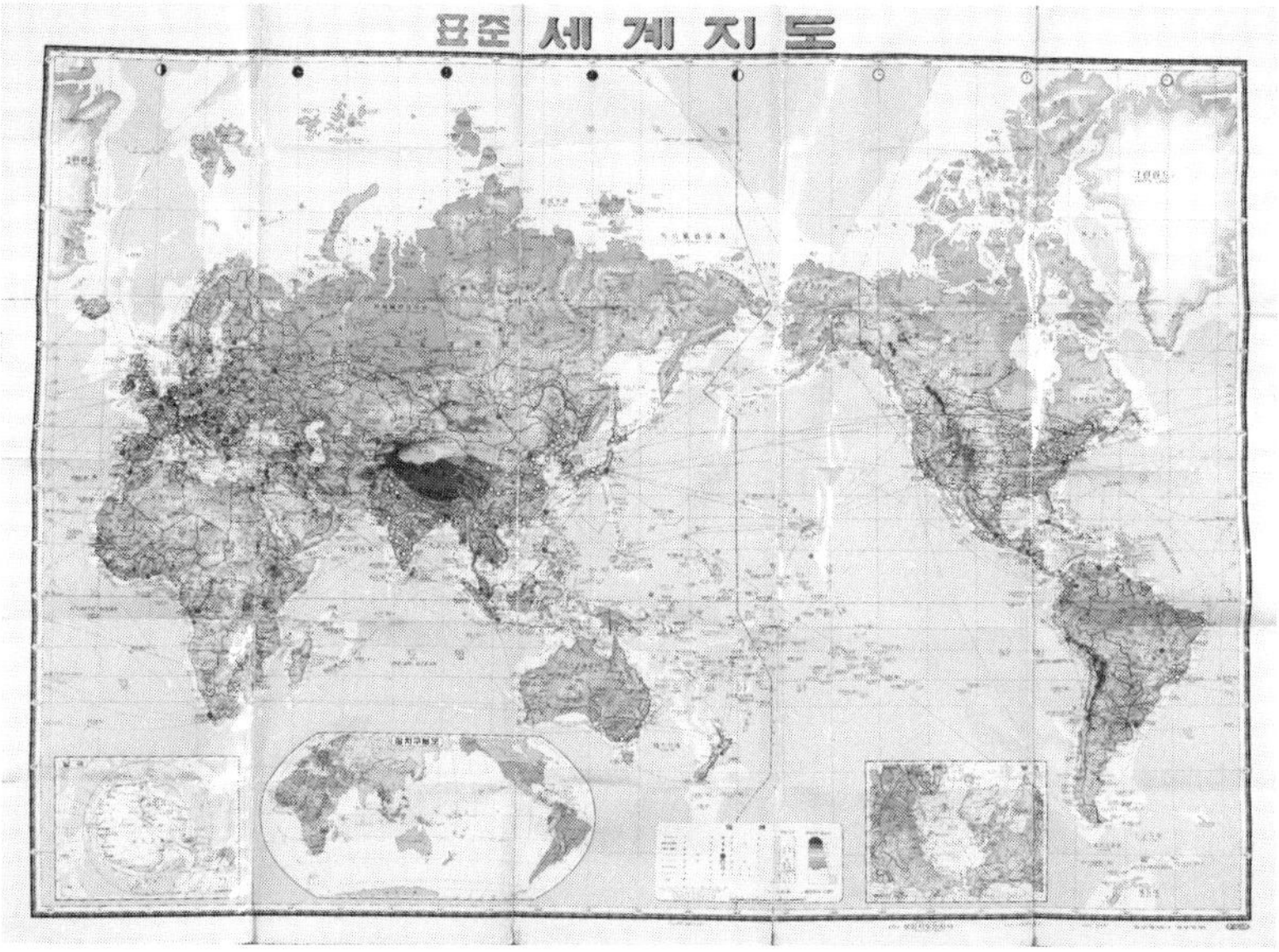


a

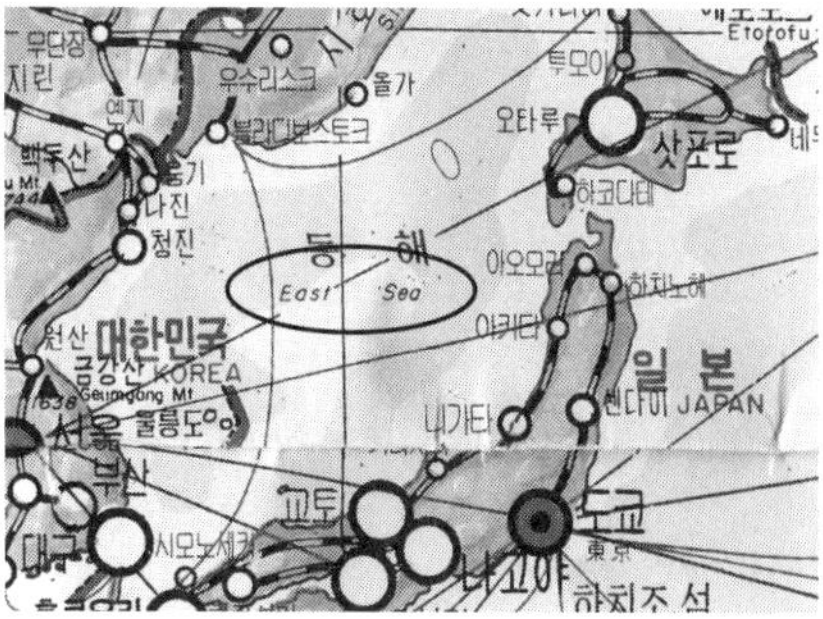


b

**a** 韓国の世界地図

**b** 日本海は存在しない。East Sea（東海）と記されている

は、ここをイースト・シーと表記することを世界中の国や国際機関、あるいは地図会社に働きかけています。書き換えができないのであれば、せめて、「シー・オブ・ジャパン（イースト・シー）」という表記に変えてほしいと訴えています。

ただ、「イースト・シー」と呼ばれているところは他にもあります。中国の東側の海域で、私たちが「東シナ海」と呼んでいるところです。英語では、「イースト・チャイナ・シー」になります。そこを中国では「東海《ドンハイ》」と呼んでいて、地図にもそう書かれています。ということは、韓国の地図での「東海」と中国の地図での「東海」が別の海になっているのです。それぞれの国の主張はありますが、そもそも海に方角を入れると大きな問題が生じてきます。

南シナ海の呼び名をめぐっても、中国とフィリピンの間で問題になっています。フィリピンの西側が南シナ海という名前になっているため、ここが中国の海のように思われてしまう。そこでフィリピンは、ここを西フィリピン海と呼ぶことにしたのでした。

海域の名前をめぐる主張の違いは他にもあります。例えばペルシャ湾。ＵＡＥの北側に広がる海域を、私たちはPersian Gulf、ペルシャ湾と呼んできました。ところが、ＵＡＥの地図ではArabian Gulfと書いてあります。Persian Gulfというと、まるでペルシャ人の海のように思われてしまう、ということで、アラブ人の多いＵＡＥ側ではArabian Gulf

（アラビア湾）になっているのです。

では、欧米の新聞、メディアは、この海域をどう表記しているのでしょうか。例えばイギリスの新聞などでは、ただ単に「The Gulf」と表記しています。あえてPersianやArabianを付けることを避けています。「The Gulf」でも、どこかはわかるだろうということです。

今度は北朝鮮の地図を見てみましょう。これはかなり珍しいですよ。北朝鮮でやっと手に入れた世界地図です。北朝鮮の地図では、朝鮮半島の首都はピョンヤン（平壌）ですね。ソウルという街の表記はありますが、首都の印はピョンヤンに付いています。

当然のことかもしれませんが、韓国の地図では朝鮮半島の首都はソウルであり、北朝鮮の地図ではピョンヤンであると、それぞれがアピールしているわけですね。

ここで私が注目するのは、北朝鮮の地図では日本とアメリカだけ国の色が塗られていないこと。他の国や地域はみんな色が塗られていますが、日本とアメリカだけは白いままなのです。

北朝鮮は、日本ともアメリカとも国交を結んでいません。国交を結んでいないということは、相手を国家として認めていないということ。建前としてはそうなるわけですね。し

a

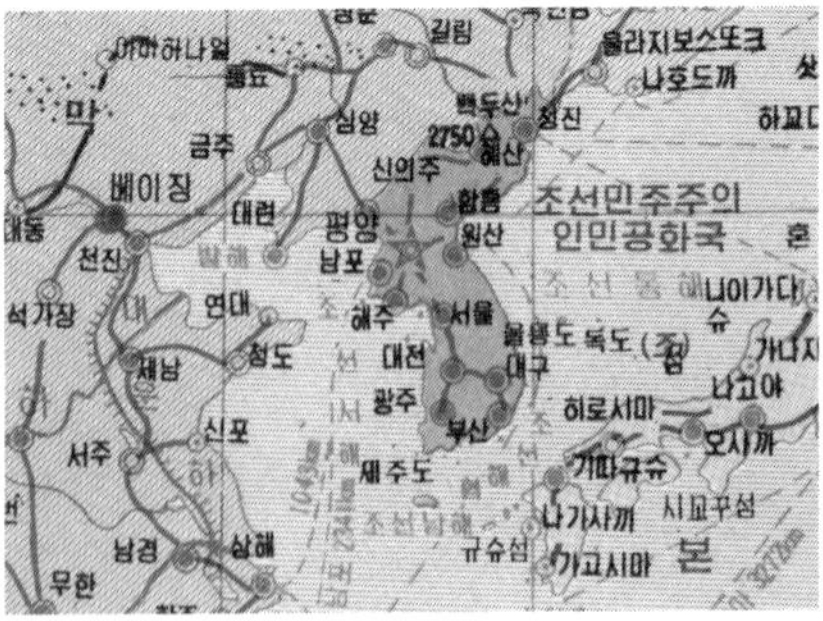


b

a 北朝鮮の世界地図。日本とアメリカだけ白い
b 朝鮮半島の首都はあくまで「平壌」

かし、日本もアメリカも、国交はなくても北朝鮮という国があることは認めていて、地図にも他の国と同じように色を付けています。にもかかわらず、北朝鮮はあえてアメリカと日本を白くしている。

これを見た性格の悪いジャーナリストは、こう考えます。北朝鮮は、国交のない日本とアメリカをわざわざ色を付けないで目立たせている。ということは、国交を結んでいないことを世界にアピールしている。つまり、本当は国交を結びたいのではないだろうか。そういう意図があるからこそ、こんな不思議な世界地図をつくるのだ。ついそんなふうに裏読みをしてしまうわけです。

そして最後は衛星写真。宇宙から見た衛星写真を組み合わせた世界地図です。

宇宙から見た地球には、国境線はありません。今までそれぞれの国が国境線を引き、その境界をめぐってさまざまな紛争が起きてきました。しかし宇宙から見ると、当たり前のことですが地球に国境線はないのです。時々それを思い出してほしいのです。

国境がない世界が理想ですが、実現させるのは簡単なことではありません。しかし、理想はどこかに持っておいたほうがいいということです。

そして、宇宙から見ると地球ははっきり二つに分かれます。緑の地球と砂漠の地球です。

例えば北米大陸の西側は、シエラネバダ山脈やコロラド砂漠などがあり、東側に比べて緑の部分は少なくなっています。そして、南米、アマゾン川流域は緑一色です。熱帯雨林の伐採が大きな問題になっていますが、宇宙から見ると、アマゾン川のあたりは緑が豊かで、この地域は「地球の肺」とも呼ばれています。

北アフリカには、海岸線の一部をのぞいて、全く緑がありません。大部分がサハラ砂漠で、本当に人が住むのが大変だということがわかります。サハラ砂漠の「サハラ」とはどんな意味かというと、実は「砂漠」です。

ヨーロッパの人たちがこの地にやってきて、「ここはいったいどこだ」と聞きました。聞いた人は地名を聞いたのですが、聞かれた人は砂の大地を指していると思い、「ここは砂漠だ」と言いました。つまり、「ここはサハラだ」と答えた。それを聞いたヨーロッパの人は、「サハラ」を地名だと思いこみ、「サハラ砂漠」と名付けた、ということです。サハラ砂漠は「砂漠砂漠」になってしまうのです。

アラビア半島や中国の内陸部にも砂漠が広がっています。一方で日本列島は、全体が緑に覆われています。よく見ると関東と大阪のあたり、わずかに緑でない部分があります

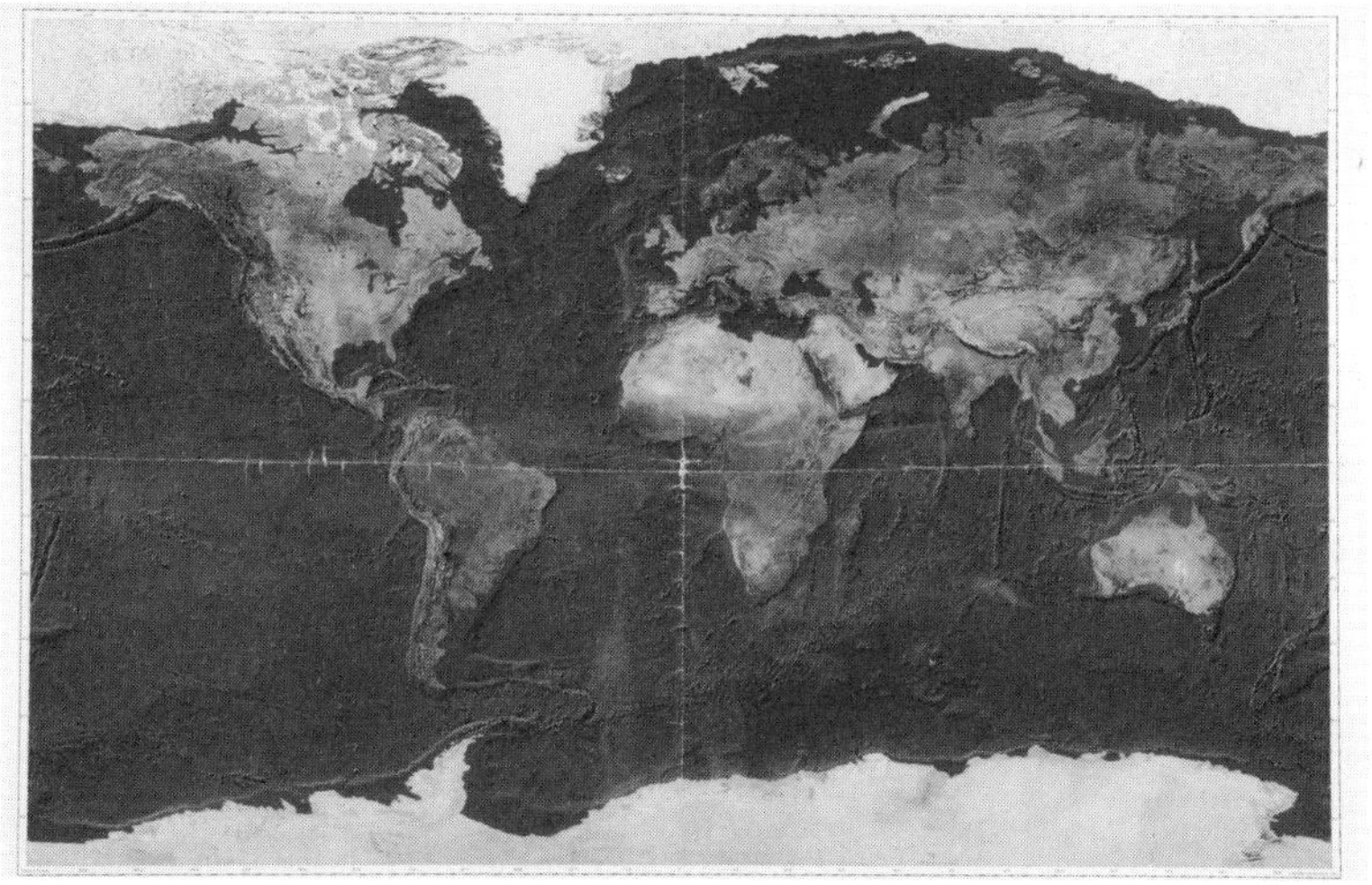

宇宙から見た世界地図。衛星写真を組み合わせている

が、列島のほとんどが緑豊かな島だとわかります。日本は宇宙から見ると本当に自然豊かな緑の島なんだということをぜひ知ってほしいと思います。そして国境線をめぐっては、さまざまな情けない争いが起きているけれど、宇宙的な視点に立てば、国境などはないんだ、ということをぜひ頭に入れておいてください。

もっと知りたくなったあなたのための、本＆映画ガイド

第一章　アメリカ

CINEMA

## 「記者たち～衝撃と畏怖の真実～」

――監督＝ロブ・ライナー　出演＝ウディ・ハレルソン、ジェームズ・マースデンほか　二〇一九年

二〇〇三年、アメリカのブッシュ（息子）政権は、「イラクが大量破壊兵器を保有している。これがテロリストの手に渡れば、アメリカの安全保障に重大な影響を及ぼすことになる」という理屈でイラクに対する先制攻撃を決めました。その作戦名が「SHOCK AND AWE（衝撃と畏怖）」。アメリカの圧倒的な軍事力でイラクを空爆し、フセイン政権の抵抗意欲を失わせる作戦でした。

しかし、イラクの大量破壊兵器保有という情報はアメリカの捏造。フセイン政権を倒して親米政権をつくらせ、イラクの石油を手に入れることが目的だったのです。そこでブッシュ政権は世論対策のため、『ニューヨーク・タイムズ』など大手メディアに「イラクが大量破壊兵器を隠し持っている」という情報を流し、大きな記事にさせます。アメリカ世論が「開戦やむなし」と傾く中、地道な取材でブッシュ政権のウソを暴いたのが『ナイト・リッダー』の記者たちでした。『ナイト・リッダー』は、記事を傘下の新聞社に配信する中堅の新聞社でしたが、この暴露記事は各社から掲載を拒まれ、記者た

ちには脅迫メールまで届くようになります。実話を元に真のジャーナリスト魂を描いた作品ですが、政治家も多くのマスコミもブッシュ政権のウソに導かれてしまったイラク戦争をきちんと取り上げ、エンタテインメントとして完成させた、アメリカ映画界の底力を感じます。

第二章 EU

CINEMA

## 「ヒューマン・フロー 大地漂流」

――監督・制作＝アイ・ウェイウェイ
二〇一九年

二〇一六年、この映画の撮影時には世界の難民は六五〇〇万人でしたが、二〇一九年に発表された国連の調査では七〇〇〇万人を突破しています。このドキュメンタリーを監督し、制作したのが中国生まれの建築家であり現代美術家であるアイ・ウェイウェイ。中国の人権侵害を問題にして当局に軟禁された後、ベルリンに移り住んで創作活動を続けています。北アフリカからギリシャに渡り、徒歩でドイツやイギリスを目指す難民。ミャンマーから追放され、バングラデシュにたどり着いたロヒンギャの人たちの惨状。巨大な監獄のようになったガザ地区に閉じ込められたパレスチナの難民。ウェイウェイは難民たちの日常を静かに表現し、彼らの絶望感を浮き彫りにします。私たちは彼らに何ができるのか。この映画を見て自問してみてください。

## 第三章　戦後の日米関係

BOOK

### 『敗北を抱きしめて―第二次大戦後の日本人』

――ジョン・ダワー著　三浦陽一・高杉忠明訳　岩波書店　二〇〇一年
（増補版・二〇〇四年）

著者は米マサチューセッツ工科大学の日本研究の第一人者で、終戦からサンフランシスコ講和条約による独立までの日本を描き出し、この本で一九九九年のピューリッツァー賞を受賞しました。日本語訳は上下巻です。

戦後、焦土と化した日本に上陸した占領軍兵士がそこに見たのは、敗者の卑屈や憎悪ではなく、改革への希望に満ちた民衆の姿でした。勝者による上からの革命に対し、〝敗北を抱きしめ〟ながら日本の民衆はどう対応したのか。詩情あふれる文章で、戦後日本の姿を描きます。

## 第四章　沖縄

CINEMA

### 「返還交渉人―いつか、沖縄を取り戻す」

――監督＝柳川強　原案＝宮川徹志　脚本＝西岡琢也
出演＝井浦新、戸田菜穂ほか　二〇一八年

沖縄返還の交渉にあたった日本人外交官、千葉一夫の実話を映画化したものです。沖縄の返還交渉の詳細は、長く公にされていませんでした。それが明らかになったのが民主党政権時の二〇一〇年、「いわゆる『密約』問題に関する調査」でした。この資料に千葉一夫の名前が頻繁に登場し、日米交渉における彼の果たした大きな役割が判明します。アメリカ政府は返還に否定的。頼みの日本政府もアメリカの顔色をうかがってばかり。そんな中で自分の出世も顧みず、沖縄の人々の苦悩に耳を傾けながら全力でアメリカとの交渉を闘った、信念の外交官の物語です。

## 第五章 中東

CINEMA

### 「バグダッド・スキャンダル」

——監督・脚本＝ペール・フライ 出演＝テオ・ジェームズ、ベン・キングズレー ほか 二〇一八年

一九九一年の湾岸戦争の結果、イラクはクウェートから撤退しますが、その後もフセイン大統領は独裁政治を続け、国内のクルド人を弾圧します。国連はイラクに対して経済制裁を実施。しかし食料不足や医療品不足に追い込まれたのはイラク国民でした。この矛盾を解消すべく考案されたのが「石油・食料交換プログラム」でした。イラク産の石油を国連が管理して売却し、その資金でイラク国民に食料や医療品を届けるというものでした。ところが、巨額のプロジェクトの裏にはとんでもない不正や腐敗が。実際にあった国連の巨大不正事件が小説化され、それが原作となった映画です。

## 第六章 中国

BOOK

### 『餓鬼——秘密にされた毛沢東中国の飢饉』

——ジャスパー・ベッカー著 川勝貴美訳 中央公論新社 一九九九年、中公文庫 二〇一二年

著者は当時十五年以上も北京に在住していた、イギリス紙『インディペンデント』の記者でした。中華人民共和国建国後、毛沢東の「大躍進政策」によって何がもたらされたのか。そ

の実情が丁寧に調べられ、鬼気迫る報告になっています。現代の中国は、この歴史を封印していますが、現代中国を知る上での必読の書です。

BOOK

## 『中国が世界をメチャクチャにする』

——ジェームズ・キング著　栗原百代訳　草思社　二〇〇六年

原題は、『China shakes the world』。イギリスの経済紙『フィナンシャル・タイムズ』の記者で、東京支局駐在員や北京支局長を務めた著者が、グローバル化を推し進めた中国がどれほど深刻な事態を

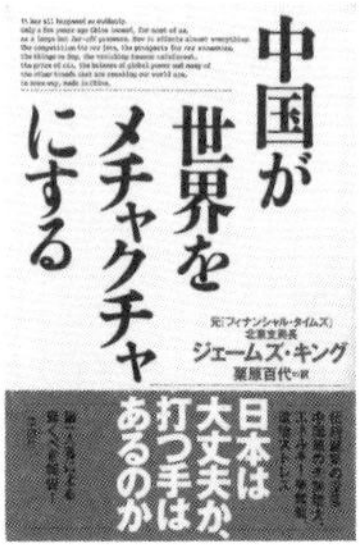


引き起こしているかをレポートしています。いまから十数年も前にこれだけの報告をまとめていた、その慧眼に感服です。世界における中国の影響を考える上で、大いに参考になる一冊です。

# 第七章　北朝鮮

CINEMA

## 「工作　黒金星《ブラック・ヴィーナス》と呼ばれた男」

——監督＝ユン・ジョンビン　出演＝ファン・ジョンミン、イ・ソンミンほか　二〇一八年

この映画はフィクションですが、かなりの部分が事実に基づいてつくられています。ときは一九九二年、北朝鮮の核開発疑惑が浮上し、韓国はその実情を把握するためにスパイを送り込むことを計画します。選ばれたのは陸軍少佐のパク・ソギョン、工作員のコードネームは「黒

金星（ブラック・ヴィーナス）」でした。軍を辞めたパクは、酒に溺れて破産するという役を演じて過去を消し、北京で実業家として振る舞いながら北朝鮮の高官に接近します。北朝鮮に外貨獲得の機会を提案し、ついに北朝鮮に入国を果たして金正日総書記に会うチャンスまで得たパク。しかし韓国では政治が大きく動き、パクが所属する組織が存続の危機に陥った結果、パクの身に何が起きるのか。同じ民族が分断されて二つの国になった朝鮮半島。そこにおける愛国心とは何かを考えさせられる一作です。

---

BOOK

## 『朝鮮戦争 金日成とマッカーサーの陰謀』

――萩原遼著 文藝春秋 一九九三年、文春文庫 一九九七年

著者は『赤旗』（現『しんぶん赤旗』）の特派員としてピョンヤン（平壌）に赴任し、後にフリーランスとなったジャーナリストです。一九八九年にアメリカに渡り、ワシントンの国立公文書館の資料をおよそ三年間かけて調査してこの本を書き上げました。その資料は、朝鮮戦争時にアメリカが没収した北朝鮮の内部資料で、北朝鮮の行動や、ソ連と中国のかかわりを北朝鮮の資料から初めて明らかにした労作です。

本書は2019年8月7日～10日に
関西学院大学、西宮上ケ原
キャンパスにて行われた連続講義
「国際教養としての時事問題」をベースに、
一部追録及び加筆、修正したものです。

・Photo：AFLO
AP、Reuters、Interfoto、picture alliance、
Shutterstock、The New York Times、TopFoto、
Ullstein bild、Yonhap、ZUMA Press / AFLO
・p95、123写真：毎日新聞社
・第八章地図撮影：小川忠博
・p6、286写真：関西学院大学提供
・図版作成：鈴木成一デザイン室
・扉、表紙地図：©Product/VGL/Geoscience/Planetobserver Agency/Artbank
・第八章の地図はすべて著者の所有物です。

**池上 彰** いけがみ・あきら
ジャーナリスト。
1950年長野県生まれ。慶應義塾大学卒。NHKで記者やキャスターを歴任、94年より11年間「週刊こどもニュース」でお父さん役を務め、わかりやすい解説が人気を博する。2005年よりフリージャーナリストとして多方面で活躍中。現在、名城大学教授、東京工業大学特命教授。本書の元となった関西学院大学をはじめ、立教大学、信州大学、日本大学、順天堂大学などでも講義を担当。著書に、『そうだったのか！ 現代史』シリーズ（集英社文庫）、『池上彰の世界の見方』シリーズ（小学館）、『知らないと恥をかく世界の大問題』シリーズ（角川新書）、『池上彰と現代の名著を読む』（筑摩書房）他多数。

編集協力 木葉 篤
校正 小山 晃
協力 関西学院大学 国連・外交統括センター

**武器《ぶき》になる！ 世界《せかい》の時事問題《じじもんだい》**
**背景《はいけい》がわかればニュースがわかる**

2020年3月31日 第一刷発行

著者 池上 彰《いけがみ あきら》
発行者 佐藤 靖
発行所 大和《だいわ》書房
東京都文京区関口1-33-4 〒112-0014
電話03-3203-4511
ブックデザイン 鈴木成一デザイン室
本文印刷 信毎書籍印刷
製本所 ナショナル製本

 ISBN978-4-479-79715-9

http://www.daiwashobo.co.jp